18'00

BANDA
STERN

Guión:
Luca Enoch

Dibujo:
Claudio Stassi

NORMA
Editorial

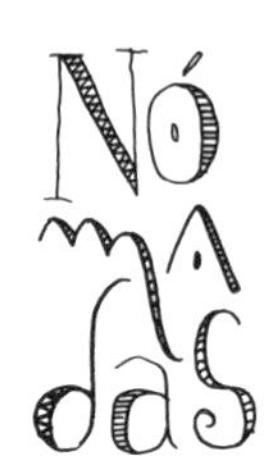

BANDA STERN
Colección Nómadas número 62
Primera edición: Abril de 2013.

Passeig de Sant Joan 7 – 08010 Barcelona.
Tel.: 93 303 68 20 – Fax : 93 303 68 31.
E-mail : norma@normaeditorial.com
Traducción: Gema Moraleda
Rotulación: Global Design Development
ISBN: 978-84-679-1125-1

Printed in China.

www.NormaEditorial.com
www.NormaEditorial.com/blog

Consulta los puntos de venta de nuestras publicaciones
en www.normaeditorial.com/librerias

Servicio de venta por correo: Tel. 93 244 81 25, correo@normaeditorial.com,
www.normaeditorial.com/correo

NormaEditorial

PRÓLOGO

Aquello era un paisaje de pesadilla, casi sacado de una de esas películas en las que una destructiva arma secreta es ensayada en una poblada región, obligando a sus moradores a escapar precipitadamente. Propiedades agrícolas desiertas; furgonetas, coches y autobuses abandonados sobre el asfalto reblandecido por el sol; quietud y silencio rotos únicamente por pequeños grupos de civiles, quienes, alertados mediante panfletos lanzados por la aviación israelí de que cualquier vehículo que circulara por el sur libanés sería considerado objetivo militar, escapaban a pie de los bombardeos, caminando lo más cerca posible de la cuneta. Periodistas, personal sanitario, trabajadores humanitarios o cascos azules de la ONU se movían con extrema cautela por el teatro de operaciones militares, sabedores de que cuando el Tsahal (Ejército israelí) entra en acción, las convenciones internacionales y las leyes de la guerra carecen de vigencia.

Israel no contaba siquiera con medio siglo de existencia en aquel tórrido y bochornoso verano de 2006, en el que sus Fuerzas Armadas y la guerrilla libanesa de Hizbulá protagonizaron un nuevo estallido bélico del largo y tortuoso conflicto de Oriente Próximo. Pero lo sucedido entonces demostró una vez más que, pese a los decenios transcurridos desde la proclamación del Estado de Israel y la disolución del grupo sionista Lehi, —destacado actor en el proceso hacia la independencia y responsable, en los años 40, de sangrientos atentados contra convoyes ferroviarios o de relevantes asesinatos políticos— la herencia de la banda Stern, calificada de terrorista por buena parte de la comunidad internacional de mediados del siglo pasado, continua muy presente en la psique colectiva de parte de la clase dirigente israelí. Porque las tácticas de guerrilla empleadas por Lehi y otros grupos paramilitares judíos, aprehendidas en aquel entonces por individuos que a la postre acabaron ostentando cargos importantes en la vida pública del recién nacido país, siguen influyendo en el comportamiento de un buen número de gobernantes del país hebreo, envenenando y poniendo trabas a cualquier posibilidad de entendimiento en Oriente Próximo.

En 1991, israelíes y árabes se sentaron por vez primera a negociar en Madrid tras decenios de guerras e incomunicación. Sin embargo, los históricos avances que se produjeron en aquella cita, que incluyeron la asunción, por vez primera, de la idea de que cualquier proceso de paz debía basarse en el principio de paz a cambio de territorios, además de la formación de comisiones de trabajo para afrontar problemas comunes como el del agua, se vieron rápidamente ensombrecidos por el enfrentamiento dialéctico que protagonizaron, en el mismo Palacio Real madrileño, el ministro de Asuntos Exteriores sirio, Faruq al Shara, con el entonces primer ministro israelí, Yitzak Shamir. En un momento de su intervención, Al Shara, irritado por las constantes alusiones israelíes a que su país albergaba a grupos terroristas palestinos, mostró a los asistentes la foto de un joven treintañero Shamir en la época en que militó en Lehi, y sobre cuya cabeza las autoridades coloniales británicas habían puesto precio. Las paradojas de la historia hicieron que el primer líder israelí encargado de negociar una suerte de paz conjunta con los países vecinos árabes fuese precisamente uno de sus dirigentes políticos más radicales, comandante de la banda Stern cuando esta realizó sus atentados más sangrientos, allá por la década de 1940.

Israel considera como héroes al centenar escaso de individuos que integraron Lehi, pese a las muertes ocasionadas durante sus años de lucha armada, a la ideología ultraderechista de algunos de sus miembros y a los oscuros episodios que llegó a protagonizar la banda con enemigos declarados de la raza judía, como la Alemania nazi. A través de la embajada alemana en Turquía, la banda Stern ofreció a Hitler durante la segunda guerra mundial su colaboración para expulsar a los británicos de Palestina, establecer un estado totalitario hebreo asociado a las potencias del Eje y asumir a la totalidad de los judíos residentes en Europa, ya fuesen emigrados o expulsados. La propuesta no recibió respuesta alguna de Berlín.

La relación de las autoridades israelís con Lehi ha sido, cuando menos, ambivalente, pese a los enfrentamientos y disputas que mantuvo con el liderazgo sionista moderado en los turbulentos años previos al final del mandato británico en Palestina. Acabaron integrándose en las Fuerzas Armadas israelís tras la independencia en 1948 y, a cambio, sus miembros fueron amnistiados de los crímenes cometidos. Desde los años 80, los individuos que integraron la banda Stern tienen derecho, como reconocimiento a los servicios prestados al estado de Israel, a una de las condecoraciones otorgadas por las Fuerzas Armadas Israelís. El mismo Shamir recibió, tras su fallecimiento en el verano de 2012, un sentido homenaje no solo de la derecha israelí —sus compañeros de partido— sino también de fuerzas israelíes consideradas progresistas. El laborista Simon Peres le calificó de "gran patriota" y fiel servidor del estado de Israel.

Dicen los cínicos que cualquier territorio o pueblo oprimido nunca consigue la emancipación de su opresor mediante el pacto o la negociación. Su libertad, argumentan dichas voces, solo se logra tras un desigual combate en el que cualquier método es considerado legítimo. La historia de Lehi o banda Stern es un buen referente para todos aquellos que creen que el fin siempre justifica los medios.

MARC MARGINEDAS

Marc Marginedas es periodista, enviado especial a zonas de conflicto de *El Periódico* y autor del libro *Periodismo en el campo de batalla* (RBA).
@marcmarginedas

PALESTINA,
17 DE SEPTIEMBRE
DE 1948.

JERUSALÉN,
SUBURBIO DE
KATAMON.

¡VAMOS,
CORRE!
תנובה
¡AH! ¡AH! ¡AH!

AAH...
ME APETECÍA
MUCHO ALGO
FRESCO.
MMM
MMM...

?

MIRA... ¡SON SOLDADOS!
NO LES HAGAS CASO, YORAM. ¿NO VES QUE ESTÁN DESCANSANDO?

VA, URI, VAMOS... ¡A LO MEJOR NOS ENSEÑAN SUS *ARMAS*!

VAYA, SOLO NOS FALTABA QUE VINIERAN A MOLESTARNOS LOS NIÑOS...
SIGUE FINGIENDO QUE ESTÁS DORMIDO Y VERÁS CÓMO SE VAN.

PERDONEN...
PERDOOONEN. ¿ESO SON *TOMMY GUN*?

NO, NIÑO... ESTO NO SON METRALLETAS THOMPSON...

SON MACHINENPISTOLE 40 O *SCHMEISSER*, SI LO PREFIERES.

¿SON ALEMANAS? PERO... ¿NOS LA ENSEÑA MEJOR?

¡BASTA YA!
¡SI NO OS VAIS AHORA MISMO, ME BAJO Y OS ECHO A *PATADAS*!

LE HAS DADO UN BUEN SUSTO.
NO DEBEN ACERCARSE. ¡NO QUIERO CARGAR CON NIÑOS EN MI CONCIENCIA!

SON MÁS DE LAS CUATRO Y AÚN NO SE VE A NADIE.
TODO VA BIEN.

FALACH HA DICHO QUE LA CARAVANA DEL *CONDE* PASARÁ POR AQUÍ. TIENE INFORMADORES TANTO ENTRE LOS CORRESPONSALES EXTRANJEROS COMO ENTRE LA GENTE DE NACIONES UNIDAS.

LA INFORMACIÓN ES CORRECTA. SOLO TENEMOS QUE ESPERAR.

HAY QUE COLOCAR LOS *BIDONES*.

תנובה
CLUNK CLUNK

ESPERAD. PONGÁMOSLOS MÁS EN EL CENTRO DE LA CALZADA.

ESO ES... ASÍ LOS COCHES SOLO PUEDEN PASAR DE UNO EN UNO Y PODEMOS BLOQUEARLES EL PASO FÁCILMENTE.

CUÉNTAME... ¿ES VERDAD LO QUE DICEN? ¿QUE HAS CONOCIDO A YAIR* EN PERSONA?
MHMM... HMMM...

SÍ. ESTABA CON ÉL CUANDO DEJÓ EL IRGÚN PARA CREAR EL LEHI.
¿Y CÓMO ERA? QUIERO DECIR... ¿CÓMO EMPEZÓ TODO?

*NOMBRE DE GUERRA DE STERN.

¿CÓMO ERA AL PRINCIPIO...? EL PRINCIPIO FUE IGUAL PARA TODOS.

TEL AVIV, 1938.

¿ESTÁS AQUÍ POR VOLUNTAD PROPIA?

¿ESTÁS DISPUESTO A HACER SACRIFICIOS SI ASÍ TE LO PIDEN?

SÍ, LO ESTOY.

¿ESTÁS DISPUESTO A ACEPTAR LA DISCIPLINA MILITAR?
¿PUEDES SOPORTAR EL **DOLOR**? ¿SI TE CAPTURARAN, SERÍAS CAPAZ DE GUARDAR **SILENCIO**?

¿ERES CONSCIENTE DE QUE ENROLARTE EN ESTA ORGANIZACIÓN PUEDE PONERTE EN UN GRAN PELIGRO?
SÍ, LO SOY.

BIEN.

MI RECLUTADOR, LO SUPE DESPUÉS, FUE *MICHAEL*.

¿"NUESTRO" MICHAEL? ¿**RABBI SHAMIR**?
EL MISMO.
REPITE CONMIGO.

"JURO FIDELIDAD AL IRGÚN ZEVAI LEUMI..."

"ESTAREMOS PREPARADOS EN TODO MOMENTO PARA ACTUAR POR LA CAUSA DEL RENACIMIENTO DE LA NACIÓN DE ISRAEL EN SU MADRE PATRIA. VIVIREMOS Y MORIREMOS POR ELLO."

HAIFA, JULIO DE 1918.

PALESTINA AÚN SE ENCONTRABA BAJO **MANDATO BRITÁNICO** Y ESTABA LLENA DE SOLDADOS INGLESES.

PERO QUIEN ESTABA EN EL PUNTO DE MIRA DEL IRGÚN ERA LA POBLACIÓN ÁRABE QUE EMPEZABA A RESISTIRSE A LA CRECIENTE PRESENCIA JUDÍA.

CLUNK CLUNK

MAMÁ... ¡MAMÁ!

¿QUÉ PASA, BASIM?
MIRA, MAMÁ... UN HOMBRE SE HA DEJADO LA LECHE. ¿PODEMOS COGERLA?
¿QUIÉN, BASIM?

SE HA IDO POR A...

BOUUUUUUMMMM

¿TREINTA Y NUEVE? ¿LO DICES DE VERDAD, YAACOV?

¡DE VERDAD! ¡AYER EN HAIFA UNA DE NUESTRAS BOMBAS MATÓ A TREINTA Y NUEVE ÁRABES! ¡EL IRGÚN NO BROMEA, AVNER!

ID CON CUIDADO... NO QUIERO VOLAR POR LOS AIRES ANTES DE TIEMPO.

CIUDAD VIEJA DE JERUSALÉN.

¡LOS IRREGULARES ÁRABES VAN AL BLANCO FÁCIL! PONEN BOMBAS EN LOS TRENES Y QUEMAN TODO LO QUE PUEDEN... ¡PERO NOSOTROS YA NO VAMOS A SUFRIR!

¿QUE LA HAGANÁ QUIERE ATENERSE AHORA A LA POLÍTICA DE LA HAVLAGÁ*? QUE LES APROVECHE, ¡PERO EL IRGÚN, EN CAMBIO, VA A REACCIONAR!

Y NO VAMOS A LIMITARNOS A DEFENDERNOS... ¡RESPONDEREMOS AL TERROR CON EL TERROR!

A PARTIR DE AQUÍ SOLO IREMOS NOSOTROS, AVNER... ESPÉRANOS AQUÍ, FUERA DE LA ZONA DEL MERCADO.

AÚN ERA DEMASIADO JOVEN PARA PARTICIPAR EN LAS OPERACIONES DEL IRGÚN... SOLO TENÍA DIECISÉIS AÑOS.

PERO YO QUERÍA PASAR A LA ACCIÓN CONTRA LOS INGLESES. PEGAR COPIAS DEL HERUT** A LAS PAREDES NO ME BASTABA...

...E IGUALMENTE PODÍA COSTARME AÑOS DE CÁRCEL O UNA BALA EN LA ESPALDA POR PARTE DE LOS INGLESES.

*AUTOCONTENCIÓN, EN HEBREO.

**BOLETÍN DEL IRGÚN.

PERO AQUEL DÍA EN JERUSALÉN, LAS COSAS NO ESTABAN DESTINADAS A IR COMO EN JAFFA Y HAIFA.

LOS ÁRABES HABÍAN EMPEZADO A SOSPECHAR DE LAS CARAS NUEVAS.

¡JUDÍO! ¡JUDÍO!

¿QUÉ HACEN? ¡PAREN!
THUMP
THUMP

¡UNA BOMBA!

BANG BANG

¡DISPAROS! ¿QUÉ ESTÁ PASANDO...?

¡ABRAN PASO!
¡VAMOS! ¡VAMOS!

¿Y AHORA QUÉ HAGO? ¡SI LE HAN DESCUBIERTO LO *MATARÁN!* ¿QUÉ TENGO QUE HACER...?

¡HAN DISPARADO A YAACOV! NOS ENCARGAMOS NOSOTROS, LO LLEVAREMOS AL HOSPITAL.
¡TÚ VETE!

¡ASESINO!

YAACOV FUE EL PRIMER COMPAÑERO AL QUE VI MORIR.

¿Y YAIR?
¿CÓMO ERA?
BUENO, ÉL ERA ÚNICO... NO PARECÍA UN HOMBRE VIOLENTO. SIEMPRE IMPECABLEMENTE VESTIDO, IBA AL BARBERO CADA DÍA... GUSTABA A LAS MUJERES Y ERA UN BUEN POETA...
...¡Y TENÍA LAS IDEAS CLARAS!

NO CREO QUE GRAN BRETAÑA NI NINGÚN OTRO GOBIERNO PUEDA IMPONER A LOS ÁRABES UN ESTADO JUDÍO. ESO TENDRÁ QUE SER CONQUISTADO POR NUESTRAS HEROICAS FUERZAS...

LA NACIÓN JUDÍA HA SIDO SUBYUGADA PERO NO PROFANADA, VENCIDA PERO NO DESHONRADA. LO SUYO NO HAN SIDO AUTÉNTICAS DERROTAS SINO FRACASOS TEMPORALES QUE CONTENÍAN LAS SEMILLAS DE SU FUTURA VICTORIA.

LOS FARAONES, ROMA, LA INQUISICIÓN Y EL ZAR... TODOS ELLOS VENCIERON A LOS JUDÍOS. ¿PERO DÓNDE ESTÁN AHORA? TODOS HAN DESAPARECIDO DE LA HISTORIA MIENTRAS QUE NOSOTROS SEGUIMOS AQUÍ...

LOS ÁRABES ACTUALES NO SON MEJORES QUE LOS FILISTEOS O LOS CANANEOS.... ¿DE VERDAD NO PODEMOS TRIUNFAR SOBRE UNOS CUANTOS MUFTÍS, EFENDIS Y JEQUES SIN HONOR?

EN VEINTE AÑOS, LOS SIONISTAS PODRÍAN ESTABLECER UN ESTADO CON DIEZ MILLONES DE JUDÍOS... UN **BASTIÓN** EUROPEO EN LAS COSTAS DEL MEDITERRÁNEO CONTRA LOS ATAQUES DE LA GENTE DEL DESIERTO... Y SERÁ NECESARIA UNA **LEGIÓN JUDÍA** PARA DEFENDERLO.

RECORDAD A LOS CRISTIANOS LIBANESES MASACRADOS POR LOS DRUSOS EL SIGLO PASADO, EL GENOCIDIO ARMENIO OBRA DE LOS TURCOS EN 1915 Y LAS MASACRES DE ASIRIOS EN IRAK EN 1933... TENEDLOS SIEMPRE PRESENTES...

TODO SON ADVERTENCIAS CONTRA LA CONFIANZA OBLIGADA DE LOS SIONISTAS EN LAS BAYONETAS INGLESAS, QUE UN DÍA PODRÍAN ABANDONAR EL YISHUV.

¡TODO SON EJEMPLOS DE LO QUE PUEDE SUCEDERLE A QUIEN ENTREGA LA PROPIA SEGURIDAD A BAYONETAS EXTRANJERAS!

A LOS OCUPANTES EXTRANJEROS NUNCA LES HA IMPORTADO LA SUERTE DE NUESTRA GENTE, SOLO SUS PROPIOS INTERESES... ¡Y LOS **INGLESES** NO SON LA EXCEPCIÓN!

HOY NOS PIDEN COMBATIR A SU LADO CONTRA EL "ENEMIGO COMÚN", LA **ALEMANIA NAZI**... PERO YO OS DIGO QUE HE VISTO AL ENEMIGO DE LOS JUDÍOS Y NO ES HITLER... NO, ¡EL **AUTÉNTICO OPRESOR** ES GRAN BRETAÑA!

HITLER SOLO ES EL ÚLTIMO DE UNA LARGA LISTA DE PERSEGUIDORES DE JUDÍOS, PERO LOS ***AUTÉNTICOS ENEMIGOS*** SON LOS INGLESES, ¡QUE SE NIEGAN A CONCEDERNOS LA TIERRA DE NUESTROS ANTEPASADOS! ¡LOS NAZIS NUNCA HAN OCUPADO NUESTRA MADRE PATRIA, LOS INGLESES SÍ!

EL PRIMER MINISTRO INGLÉS DICE AHORA QUE LA DECLARACIÓN BALFOUR "NO PRETENDÍA CONVERTIR PALESTINA EN UN ESTADO JUDÍO CONTRA LA VOLUNTAD DE LA POBLACIÓN ÁRABE DEL PAÍS". ¡ESTO EQUIVALE A ***TRAICIONAR*** SUS PROPIAS PROMESAS!

INGLATERRA, COMO TODAS LAS NACIONES DEL MUNDO, ENTIENDE EL IDIOMA DE LAS BALAS, LOS FUSILES Y LAS BOMBAS, Y SOLO HACE CONCESIONES POLÍTICAS A QUIENES ***LUCHAN*** CONTRA ELLA. ¡PENSAD EN EL SINN FÉIN DE IRLANDA!

PORQUE LA TIERRA, LA LIBERTAD Y EL AUTOGOBIERNO NO SE REGALAN A LOS DÉBILES NI SE PUEDEN COMPRAR. ¡SIEMPRE SE HAN CONQUISTADO COMBATIENDO CON LA ***ESPADA*** Y DERRAMANDO LA PROPIA ***SANGRE***!

NINGÚN JUDÍO LUCHARÁ EN UN EJÉRCITO EXTRANJERO, NO HABRÁ NINGUNA "LEGIÓN EXTRANJERA" COMO DURANTE LA PRIMERA GUERRA MUNDIAL. LO QUE LE PASÓ A ***LAWRENCE*** Y A SUS TRIBUS BEDUINAS NO NOS PASARÁ A NOSOTROS.

¡NO SEGUIREMOS LA POLÍTICA DEL IRGÚN!
¡NO COLABORAREMOS CON LOS INGLESES, Y ANIMAREMOS A LOS JUDÍOS A OPONERSE A LA LEVA DEL EJÉRCITO BRITÁNICO!

¡OFRECEOS COMO CARNE DE CAÑÓN PARA LOS INGLESES! ¡ID A MORIR A IRAK O A CUALQUIER OTRO LUGAR QUE CONVENGA A LOS INTERESES ECONÓMICOS INGLESES! ¡NOSOTROS NO LO HAREMOS!

¡NOSOTROS LUCHAREMOS AL LADO DE QUIENES RECONOZCAN A LOS JUDÍOS COMO ÚNICOS DUEÑOS DEL PAÍS, LOS ÚNICOS CON DERECHO A ESTABLECER AQUÍ SU PROPIO REINO!

EN 1940, YAIR DEJÓ EL IRGÚN PARA CREAR EL "IZL EN ISRAEL"... Y YO ME FUI CON ÉL.

SIEMPRE NECESITÁBAMOS DINERO Y PARA CONSEGUIRLO, DADO QUE NUESTRA GENTE NO HACÍA COLA PARA OFRECÉRNOSLO, ROBÁBAMOS.

ALGUNOS LO LLAMABAN "EXPROPIACIONES", OTROS "CONFISCACIONES"... PERO EN PALABRAS LLANAS, NO ERAN MÁS QUE ROBOS EN BANCOS.

NUESTRO PRIMER ROBO AL *APAK** EN SEPTIEMBRE NOS PROPORCIONÓ UNAS BUENAS 4400 LIBRAS ESTERLINAS, PERO TAMBIÉN UNA MOLESTA OLA DE DETENCIONES.

MICHAEL, SHAUL Y YO CONSEGUIMOS HUIR, PERO WILENCHIK Y FALACH FUERON DETENIDOS POCO DESPUÉS.

YO ERA FELIZ... ¡FINALMENTE HABÍA PASADO A LA *ACCIÓN*!

*: *BANCO ANGLOPALESTINO.*

EN NOVIEMBRE MATAMOS A YA'ACOV SOFFIOFF, UN POLICÍA JUDÍO QUE TRABAJABA PARA LA POLICÍA BRITÁNICA...

¿PERO A TI QUÉ TE HA PARECIDO *LA PIÈCE*? VA, DE VERDAD... ¿NO TE HA DADO PENA?
¡JA, JA! PERO QUÉ MALA ERES...

YO, EN CAMBIO, CREO QUE LOS DOS ACTORES... ?!

BLAM
BLAM

...FUE ACUSADO DE DESVELAR LAS IDENTIDADES DE LOS MIEMBROS DEL GRUPO A LOS INGLESES, Y FUE CONDENADO A MUERTE.

EN ENERO, EL ROBO AL HISTADRUT BANK DE TEL AVIV FUE UN DESASTRE.

BANG
BANG

BANG BANG
BANG
BANG

BANG
BANG
BANG
BANG
BANG
BANG

BANG
BANG
BANG
BANG
BANG

¡VAMOS! ¡VAMOOOS!
¡HEMOS DISPARADO A UNOS TRANSEÚNTES!

¿CÓMO NOS IBA A JUZGAR LA GENTE...? ¿COMO UNA SIMPLE BANDA CRIMINAL QUE ASESINABA INOCENTES TRANSEÚNTES DURANTE SUS ROBOS?

MIENTRAS TANTO, SEGUÍAMOS CON NUESTRAS OPERACIONES CONTRA LOS INGLESES.

SÍ, INSPECTOR SCHIFF... HA SIDO UNA PEQUEÑA EXPLOSIÓN, PERO SOSPECHAMOS QUE PODRÍA SER UNA FÁBRICA DE BOMBAS DEL IZL EN ISRAEL.
MMM... DÉMOSLE UNA OJEADA.

HAN LLEGADO LOS INSPECTORES DEL CID Y UN AGENTE INGLÉS... ¡RECONOZCO A SCHIFF Y GOLDMAN!

ESTÁN SUBIENDO LAS ESCALERAS... ¿QUIÉN ESTÁ CON EL SEGUNDO ARTEFACTO?
BARUCH, CREO...

BOOOOOOUUUUM
AHÍ ESTÁ...

¡LA TRAMPA HA FUNCIONADO!

¡AHORA A ESPERAR QUE LLEGUEN LOS PECES GORDOS!

¡MÍRALOS! SON LOS INSPECTORES MORTON Y WILKINS... ¡SON ELLOS EN PERSONA!

¡ES EL MOMENTO! ¡DETONA LA TERCERA *BOMBA*!

EL ARTEFACTO ESTÁ JUSTO DELANTE DE LA CASA Y SE HA REUNIDO DEMASIADA GENTE. ¡YA HABRÁ OTRA OCASIÓN!

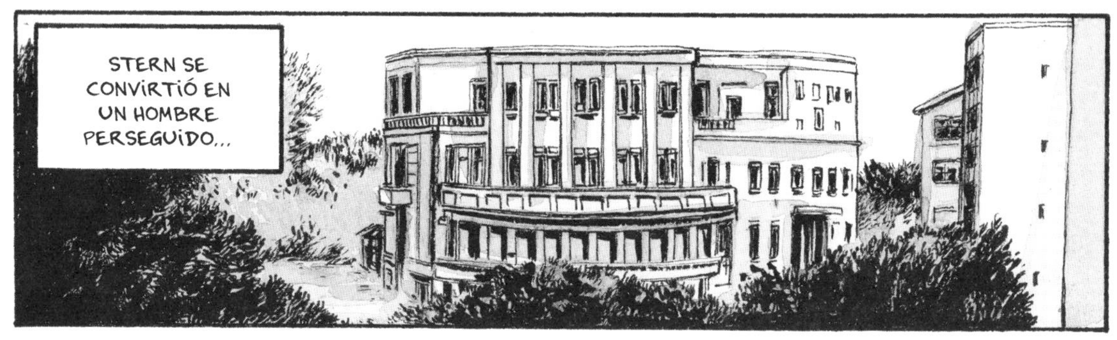
STERN SE CONVIRTIÓ EN UN HOMBRE PERSEGUIDO...

...TANTO QUE YA NO PODÍA DEJAR SU ESCONDITE EN TEL AVIV...

ESTABA ACORRALADO, SU IDEOLOGÍA ALTERNATIVA NO HABÍA CALADO EN LA MAYORÍA...
...QUE NOS CONSIDERABA A TODOS UNOS TRAIDORES...

¿QUIÉN ESTÁ CON YAIR?
KALAY... ¡NO ENTRES, NO ES UN BUEN MOMENTO!

¿NO LO ENTIENDES? ¡DIRÁN QUE APOYAS A HITLER!

MALDECIRÁN TU NOMBRE Y TU MEMORIA. ¡SERÁS ODIADO Y DESPRECIADO POR LA MISMA NACIÓN A LA QUE QUIERES LIBERAR!

ESO YA LO SÉ... ¡PERO A PESAR DE TODO LO VOY A INTENTAR!

¡TUS INTENTOS DE OFRECER UNA **ALIANZA** A ALEMANIA SON ABSURDOS! EL ODIO DE LOS ALEMANES HACIA LOS JUDÍOS ES TAN INTENSO QUE CONVIERTE EN INÚTIL CUALQUIER PROPUESTA POR LÓGICA QUE SEA.
¡SOLO TRIUNFAN LOS MOVIMIENTOS QUE NO DUDAN!

¿POR QUÉ NO DEBERÍA PONERME EN CONTACTO CON HITLER? ¡TIENE EL **PODER**, ES **ENEMIGO** DE LOS INGLESES Y ESTÁ **GANANDO** LA GUERRA!

¿ACASO NO FUE HERZL EN LA RUSIA DE 1903 A PACTAR CON VIACHESLAV...

...EL CREADOR DE LOS POGROMOS ANTIJUDÍOS PARA DISCUTIR EL TRASLADO DE LOS JUDÍOS FUERA DE RUSIA?

¡YA HAS FRACASADO DOS VECES!

¡DOS VECES! ¡LUBENCHIK, AL QUE MANDASTE A REUNIRSE CON LOS AGENTES ALEMANES, ESTÁ EN PRISIÓN EN ÁFRICA Y, AHORA, INCLUSO GERA HA SIDO DETENIDO POR LOS INGLESES!

¡AÚN NO TIENES CLARA LA DIFERENCIA ENTRE QUIENES *PERSIGUEN* A LOS JUDÍOS Y SUS AUTÉNTICOS *ENEMIGOS*!
¡POR FAVOR! NO EMPIECES CON EL DISCURSO DE SIEMPRE...

ESTOY CONVENCIDO DE QUE EL SUFRIMIENTO DE LOS JUDÍOS DE ERETZ ISRAEL ES MUCHO MAYOR QUE EL DE LOS JUDÍOS EN LA DIÁSPORA. ALEMANIA SOLO PODRÁ CAUSAR DAÑOS MATERIALES A LOS JUDÍOS Y LOS *VOMITARÁ* FUERA DE SU TERRITORIO...

¡PARA MÍ, EL ANTISEMITISMO POLACO ES INCLUSO *PEOR* QUE EL ALEMÁN, Y HITLER NO ES MÁS ANTISEMITA QUE LOS "CORONELES" CON LOS QUE HE NEGOCIADO EN POLONIA!
¡ES COMO HABLAR CON LA *PARED*!

¡SI CREES QUE VOY A ESTAR A TU LADO CUANDO LOS ALEMANES TE OBLIGUEN A SER EL CAPO DEL *GUETO* DE ERETZ ISRAEL, *TE EQUIVOCAS MUCHO*!

¡PARA MÍ, KALAY SE MERECE LA ELIMINACIÓN FÍSICA!
OH, AVNER... ¿QUÉ NOTICIAS ME TRAES DE AFUERA? ¿MALAS O NEFASTAS?

¡NEFASTAS! EL YISHUV ESTÁ CONSTERNADO POR LA MUERTE DE LOS DOS PEATONES Y LA EXPLOSIÓN EN YAEL STREET...

LA AGENCIA JUDÍA LOS HA DEFINIDO COMO UN "CRIMEN ABOMINABLE QUE SUSCITA DISGUSTO EN TODOS LOS CORAZONES" Y UNA "TRAGEDIA PARA TODA LA COMUNIDAD".

¡LA POLICÍA JUDÍA DE AQUÍ NO ES DISTINTA DE LA DE LOS GUETOS DE VARSOVIA, LODZ O CRACOVIA! YA HE EXPRESADO MIS CONDOLENCIAS POR LA MUERTE DE LOS DOS INOCENTES DEL HISTADRUT BANK...

¡...PERO LA MUERTE DE "MERCENARIOS" JUDÍOS COMO SCHIFF Y GOLDMAN ESTÁ TOTALMENTE JUSTIFICADA! AHORA ES MÁS QUE NECESARIO SEGUIR CON NUESTRA LUCHA CONTRA LOS INGLESES. EL FIN ÚLTIMO DE INGLATERRA ES EL DOMINIO MUNDIAL, Y PARA CONSEGUIRLO INTENTA LIMITAR NUESTRO NÚMERO EN ERETZ ISRAEL E IMPONER AL YISHUV UNA CULTURA EXTRANJERA...

LA AGENCIA JUDÍA SE HA CONVERTIDO EN UN ENTE DE RECLUTAMIENTO PARA LOS INGLESES, MIENTRAS ESTOS PLANEAN DEROGAR LOS DERECHOS DE LOS JUDÍOS Y CONCEDER A LOS ÁRABES LA TIERRA DE ISRAEL.

¡CUANDO ESTO LLEGUE, AVNER, SOLO LA GUERRA PODRÁ LIBERAR AL PUEBLO ESCLAVIZADO Y REESTABLECER EL "REINO DE ISRAEL" EN EL TERRITORIO QUE DIOS CONCEDIÓ A LOS JUDÍOS!

RECUERDA LO QUE DICE EL LIBRO... "EL DÍA EN QUE EL SEÑOR SELLÓ ESTA ALIANZA CON ABRAHAM: A TU DESCENDENCIA LE DOY ESTE PAÍS DESDE EL RÍO DE EGIPTO HASTA EL GRAN RÍO, EL RÍO ÉUFRATES".

PERO MIRA AQUÍ, YAIR... NUESTROS ROSTROS HAN ACABADO EN LOS PERIÓDICOS. ¡Y HOY ESTÁ INCLUSO TU FOTO EN PRIMERA PÁGINA CON UNA RECOMPENSA DE 1000 LIBRAS!

¡ESTAMOS AISLADOS, YAIR! CADA VEZ HAY MÁS DELACIONES... ZACK Y AMPER HAN SIDO ASESINADOS, SVORAI Y LAVSTEIN, HERIDOS. ¡TIENES QUE DESAPARECER!

¡ACEPTA EL ASILO QUE TE HAN OFRECIDO LOS OTROS MOVIMIENTOS CLANDESTINOS, SI NO, ES SOLO CUESTIÓN DE *DÍAS* QUE TE ENCUENTREN LOS INGLESES!
¡YO NO **TRAICIONARÉ** A MIS COMPAÑEROS QUE SE PUDREN EN PRISIÓN HUYENDO DE TEL AVIV!

REIVINDICO PARA MÍ EL PAPEL DEL MESÍAS BEN YOSEF QUE LLEGARÁ ANTES DEL ADVENIMIENTO DEL MESÍAS BEN DAVID...

¡DE ESTE MODO, MI *FRACASO* PERSONAL NO SIGNIFICARÁ EL FRACASO DE NUESTRA CAUSA!

RECUERDA NUESTRO HIMNO, AVNER...
"NUESTRO DESEO ES SEGUIR SIENDO HOMBRES LIBRES PARA SIEMPRE. ¡NUESTRO SUEÑO ES MORIR POR NUESTRA GENTE!"

YAIR HABÍA ELEGIDO. AFRONTARÍA LA CAPTURA Y UN PROCESO PÚBLICO...

"EL CAMINO QUE LLEVA A LA PUERTA DEL REINO DE ISRAEL PASA POR LAS CELDAS DE LAS PRISIONES", LE GUSTABA REPETIR...

...PERO NINGUNO DE NOSOTROS PODÍA PREVER EL FINAL DE SU CAMINO.

LE HAN ENCONTRADO...
TEN CUIDADO, AVNER... ¡QUE NO TE RECONOZCAN!

¡AQUEL ES EL INSPECTOR JEFE *MORTON*! MALDITO MASTÍN INGLÉS...

ESTA ES TOVA SVORAI, LA DUEÑA DE LA CASA...
CONOCEMOS A SU MARIDO... LLÉVALA AL COCHE.

POW! POW

¡JUDÍOS!
¡ESTÁN MATANDO
A YAIR!
¡AYUDADLO!

ME PARECIÓ COMO SI EL MUNDO SE ESTUVIESE DERRUMBANDO... NUESTRA PÉRDIDA ERA ABISMAL, IRREPARABLE.

CASI TODA LA OPINIÓN PÚBLICA ESTABA EN NUESTRA CONTRA; INCLUSO GRAN PARTE DE NUESTRA GENTE NOS CONDENABA...

PERO LOS POCOS DE NOSOTROS QUE QUEDÁBAMOS NOS HABÍAMOS JURADO LOS UNOS A LOS OTROS QUE SEGUIRÍAMOS LAS HUELLAS DE YAIR HASTA VENCER LA BATALLA POR LA LIBERTAD.

NINGUNO ABANDONARÍA LOS RANGOS O ROMPERÍA FILAS.
YAIR, EL ILUMINADOR, NOS LO HABÍA ENSEÑADO: EL NUESTRO ERA UN SERVICIO QUE DURARÍA HASTA EL ÚLTIMO ALIENTO.

YO ME ESCONDÍ EN UN NARANJAL EN BAT YAM. SOBREVIVÍA GRACIAS A LOS PAQUETES QUE ME LLEVABA MI NOVIA.

¿QUÉ TAL ESTÁS AQUÍ TAN SOLO?
BUENO, YA SABES... ACUMULO UN PEQUEÑO ARSENAL, DISPARO A LOS TRENES INGLESES... LO TÍPICO.

Y SIGO ADELANTE GRACIAS A LOS VÍVERES QUE ME TRAE LA MÁS BELLA MENSAJERA. ¿QUÉ HAY HOY?
AGUA, PAN Y QUESO. COMIDA DE REY.

¿SABES, NEHAMA...? SEGURAMENTE TÚ Y YO SOMOS CUANTO QUEDA DEL GRUPO DE STERN FUERA DE LA CÁRCEL.
¡POR POCO TIEMPO, AVNER!

HAY NOVEDADES... ¡MICHAEL Y SHAUL SE HAN ESCAPADO DE LA PRISIÓN DE MAZRA!
¿ESTÁS SEGURA?

SÍ, ACABO DE ENTERARME... ¡Y SE REUNIRÁN CON NOSOTROS EN SEGUIDA!

MUY BONITOS LOS UNIFORMES POLACOS, MICHAEL... ¿DE DÓNDE LOS HABÉIS SACADO?
NOS LOS DIO ANSHEL JUSTO DESPUÉS DE FUGARNOS.

¿YA ESTAMOS TODOS?
LOS QUE NO ESTÁN EN LA CÁRCEL LO HAN DEJADO.

TENEMOS QUE EMPEZAR EN SEGUIDA A RECLUTAR... ¡EL MOVIMIENTO NECESITA DESESPERADAMENTE SANGRE NUEVA!
GRAT GRAT

EL IZL EN ISRAEL HABÍA MUERTO, PERO RESURGIRÍA PRONTO COMO LEHI.

MICHAEL ESTUVO EN EL NARANJAL EL TIEMPO SUFICIENTE PARA DEJARSE CRECER EL PELO Y UNA ESPESA BARBA.

¿CÓMO ERA LA CÁRCEL? ¿CÓMO ESTÁN NUESTROS COMPAÑEROS?
HECHOS UN ASCO...

EL RESTO DE PRESOS NOS TRATABAN COMO A ***LEPROSOS***, HASTA LOS DEL IRGÚN...

INCLUSO ELLOS SE NEGABAN A COMPARTIR CON NOSOTROS LOS PAQUETES QUE RECIBÍAN DE SUS CASAS...

EN CAMBIO, NOSOTROS NO RECIBÍAMOS NADA DE FUERA... NINGÚN PAQUETE, NADA DE CIGARRILLOS, ¡NADA DE NADA!

¡ÉRAMOS ***CEROS A LA IZQUIERDA!*** TENEMOS QUE ESFORZARNOS, AVNER, PARA QUE CAMBIEN DE OPINIÓN SOBRE NOSOTROS. ¡AL FINAL TENDRÁN QUE RECTIFICAR!

CUANDO SALIÓ DEL REFUGIO, MICHAEL SE HABÍA CONVERTIDO EN "RABBI SHAMIR".

¡PARECES UN ESTUDIOSO DEL TALMUD DE VERDAD! ¡DESAFÍO A CUALQUIERA A RECONOCERTE!
SÍ... DE AHORA EN ADELANTE DEBEREMOS SER TODOS MUY PRUDENTES.

ESCUCHAD... ESTOY SEGURO DE QUE EL IRGÚN, LA HAGANÁ Y LA AGENCIA JUDÍA HAN COLABORADO CON LAS AUTORIDADES BRITÁNICAS PARA ARRESTAR A LOS MIEMBROS DE NUESTRO GRUPO...

A PARTIR DE AHORA ESCONDEREMOS NUESTRA IDENTIDAD, NUESTRO ASPECTO FÍSICO Y NUESTROS "PISOS FRANCOS" A **TODO EL MUNDO** EXCEPTO A UN CÍRCULO MUY RESTRINGIDO.

TENDREMOS QUE SER AUTÉNTICOS "HOMBRES SIN NOMBRE Y SIN FAMILIA".

MIENTRAS SHAMIR RECORRÍA LOS SUBURBIOS DE TEL AVIV EN BUSCA DE NUEVOS RECLUTAS, YO LOS ADIESTRABA.

PARA MATAR AL MAYOR NÚMERO DE SOLDADOS SIN CORRER MUCHOS RIESGOS, NO HAY NADA COMO LAS *MINAS* ELÉCTRICAS...

CON FORMA DE PUNTO KILOMÉTRICO, CONTIENEN QUINCE KILOS DE EXPLOSIVO QUE FABRICAMOS NOSOTROS MISMOS CON UN FERTILIZANTE QUÍMICO FÁCIL DE OBTENER, EL NITRATO DE AMONIO...

...AL QUE SE LE AÑADEN ENTRE CINCO Y OCHO KILOS DE TUERCAS. UN CABLE DE CINCUENTA METROS UNE EL FALSO MOJÓN A UNA LATA DE PILAS COMO ESTA...

...¡Y BASTA CON ACCIONAR EL CONMUTADOR PARA VOLAR UN CAMIÓN!

TAMBIÉN PODEMOS FABRICAR BOMBAS DE RELOJERÍA Y DESPUÉS DEJARLAS EN CONTENEDORES DE BASURA O TRONCOS DE ÁRBOL...

...Y HACER DETONAR UNA DECENA A LA MISMA HORA, EN DISTINTOS PUNTOS DE LA CIUDAD.

KABOOOMMM

LOS INGLESES DEBEN TENER *MIEDO*, NO DEBEN SENTIRSE SEGUROS POR LA CALLE...

NO DEBEN SENTIRSE SEGUROS *AQUÍ*, EN ERETZ ISRAEL.

EL NUESTRO ERA UN GRUPO RESTRINGIDO, Y DEBÍAMOS EVITAR CUALQUIER DELACIÓN O DESERCIÓN...

...A CUALQUIER PRECIO.

DRIIIINNNN

¿QUI-QUIÉN ES? ¿QUÉ QUIERE?
¿PUEDO VER A ABRAHAM? SOY UN VIEJO AMIGO...

ESCUCHE... ÉL YA HA CUMPLIDO MÁS DE **DOS AÑOS** POR EL ROBO AL APAK Y HA TENIDO BASTANTE... ¿NO PODÉIS DEJARLO EN PAZ?

SOLO QUIERO HABLAR CON ÉL, VE A AVISARLO, POR FAVOR.

HOLA, AVNER.
ABRAHAM...

"NOSOTROS SERVIMOS A LA CAUSA TODA LA VIDA..."
BLAM BLAM BLAM

"...UN SERVICIO QUE ACABA CON NUESTRO ÚLTIMO ALIENTO."

EL NUEVO LEHI ESTABA TOMANDO FORMA, ASÍ COMO SU NUEVA CÚPULA DIRIGENTE.

"MICHAEL"; PRÁCTICO, SÓLIDO, GRAN ORGANIZADOR...

ELDAD; EL "DOCTOR", EL IDEÓLOGO DEL GRUPO...

GERA; LA MENTE, QUE APORTABA LA DIRECCIÓN POLÍTICA Y MEDIABA ENTRE LOS DOS PRIMEROS.

Y FINALMENTE SHAUL, CARISMÁTICO, ENÉRGICO, BRUTAL, UN "AUTÉNTICO REVOLUCIONARIO"...
SHAUL SE HABÍA CONVERTIDO EN UN PROBLEMA.

YAIR CONSIDERABA ESENCIAL EL AUTOSACRIFICIO EN EL PROCESO DE RESCATE, PERO NOSOTROS DEBEMOS TENER UNA VISIÓN MÁS PRAGMÁTICA Y ACEPTAR EL TERRORISMO COMO UN "MEDIO NECESARIO"...

¡ES ASÍ! EL TERRORISMO INFORMARÁ A TODO EL MUNDO DE LA LUCHA EN ERETZ ISRAEL CONTRA LA OCUPACIÓN INGLESA, QUE SON LOS "AUTÉNTICOS" TERRORISTAS, Y SACARÁ AL YISHUV DE SU INMOVILISMO.

POR LO DEMÁS, LA MINORÍA, QUE REPRESENTA LA PARTE MÁS VITAL DE LA NACIÓN, TIENE **DERECHO** A TOMAR DECISIONES SIN CONSULTAR A LA MAYORÍA...
¿ASÍ ES COMO QUERÉIS **LIBRAROS** DE YAIR?

¿ES POSIBLE QUE SU IDEOLOGÍA SE HAYA CONVERTIDO EN DEMASIADO MOLESTA Y AVERGÜENCE AL NUEVO MOVIMIENTO? SIN YAIR PARA ILUMINAR EL CAMINO AÚN ESTARÍAIS TROPEZANDO EN LA OSCURIDAD PERO, EN CAMBIO, ¡PARA VOSOTROS PARECE QUE ESTÉ **MUERTO Y ENTERRADO**!

PERO LO QUE YO DIGO ES QUE ÉL NO FUE UNO DE ESOS QUE VIVEN Y MUEREN COMO LOS DEMÁS. ÉL FUE UN **PROMETEO**, EL GRAN INCENDIARIO QUE ALUMBRÓ A LA HUMANIDAD Y QUE SE SACRIFICÓ A SÍ MISMO PARA...
¡CUÁNTA PALABRERÍA!

ESTOY HARTO DE TUS DISCURSITOS, "DOCTOR". ¡PODRÍAMOS PONERTE EN UN PEDESTAL Y TÚ HABLARÍAS DURANTE HORAS!
ERES COMO UN **ASTRONAUTA**... ¡NO TIENES NI IDEA DE LO QUE OCURRE EN LA **TIERRA**!

VAMOS, SHAUL... YA SABES QUE EL "DOCTOR" ES COMO EL LEHI: ¡UN PEQUEÑO CUERPO CON UNA GRAN CABEZA! ¡NOSOTROS SOMOS UNA PEQUEÑA ORGANIZACIÓN CON GRANDES IDEAS!

¡CIERRA LA BOCA TÚ TAMBIÉN! ¡SI QUIERES SER EL LÍDER DEL GRUPO, MICHAEL, TIENES QUE EMPEZAR A COMPORTARTE COMO TAL!
¿Y QUÉ QUIERE DECIR ESO?
QUIERE DECIR PLANIFICAR UNA BUENA SERIE DE ROBOS PARA AUTOFINANCIARNOS, ELIMINAR A LOS LÍDERES DE LOS GRUPOS RIVALES QUE NOS OBSTACULIZAN, LIBERAR A NUESTROS COMPAÑEROS QUE SE PUDREN EN PRISIONES INGLESAS... ¡**ESTO** SIGNIFICA COMPORTARSE COMO UN **LÍDER**!

SHAUL, TÚ ERES MI AMIGO... ADMIRO TU VALOR Y TU DETERMINACIÓN, POR ESO TE PEDÍ QUE HUYERAS DE MAZRA CONMIGO. PERO HAY COSAS QUE NO PUEDO ACEPTARTE NI SIQUIERA A TI.
¡QUERER EMPEZAR DE CERO CON LA GENTE DE LA AGENCIA JUDÍA ES UNA **LOCURA**, Y TU PLAN PARA LIBERAR A ELIEZER BEN-AMI DE PRISIÓN CON UN ATAQUE DIRECTO ES UN AUTÉNTICO **SUICIDIO**!

¿UN SUICIDIO?

¿ES ESE EL PROBLEMA, "AMIGO"? ¿AHORA TE DA MIEDO MORIR?

¿QUÉ HACES? BAJA LA PISTOLA...

¡SI PREFERÍS LAS CHARLAS A LA ACCIÓN, SIEMPRE PUEDO TOMAR LA INICIATIVA Y VER CUÁNTOS DEL GRUPO ME SIGUEN!

SHAUL ES INCAPAZ DE ACEPTAR CUALQUIER FORMA DE AUTORIDAD.
SLAM
PERO TIENE CARISMA Y NO TEME A NADA. MUCHOS LO ADMIRAN, MICHAEL, Y PODRÍA ENCONTRAR SEGUIDORES ENTRE NUESTROS HOMBRES.

AVNER TIENE RAZÓN... ¡SHAUL PODRÍA CAUSAR UN DESASTRE EN EL SENO DEL GRUPO Y DEL YISHUV!
RECORDAD CÓMO ERA BAJO EL MANDATO DE YAIR... NOS HABÍAMOS CONVERTIDO EN EL GRUPO MÁS ODIADO POR LA COMUNIDAD.

¡ESTO NO DEBE OCURRIR AHORA!

SHAUL DEBE SER ***LIQUIDADO***, DE OTRO MODO, EL LEHI DEGENERARÁ EN UN SIMPLE GRUPO ARMADO.

FUE MUY DOLOROSO PARA MICHAEL... ERAN AMIGOS DE VERDAD...

...PERO LA EJECUCIÓN DE SHAUL ERA ESENCIAL PARA EL MOVIMIENTO, Y ÉL NO SE ECHÓ ATRÁS.

LO QUE BUSCABA EL LEHI ERA UN ESTATUS LEGITIMADO, PERO EL RESTO DE GRUPOS CLANDESTINOS SE OPONÍAN...

ELIYAHU...
AVNER...

¿HAS VISTO LOS PERIÓDICOS DE HOY?
¡QUÉ BONITO REGALO NOS HABÉIS HECHO LOS DE LA HAGANÁ!

¡NUESTROS ROSTROS ESTÁN EN LA PRENSA JUDÍA! NOS HABÉIS IDENTIFICADO PÚBLICA Y PRIVADAMENTE. TENGO AMIGOS QUE YA NO ME HABLAN PORQUE FORMO PARTE DEL LEHI.

HASTA QUE ENTENDÁIS QUE LA INDEPENDENCIA NO PUEDE CONSEGUIRSE CON ACTOS TERRORISTAS, SINO MEDIANTE LA INMIGRACIÓN Y LA COLONIZACIÓN, NO OS LAMENTÉIS PORQUE VUESTRA CABEZA TENGA UNA RECOMPENSA.

LA PUBLICACIÓN DE NUESTRAS FOTOS ES UN PUNTO DE INFLEXIÓN EN NUESTRAS RELACIONES, ¿ENTIENDES? A PARTIR DE AHORA ESTAREMOS PREPARADOS PARA RESPONDER ¡OJO POR OJO!

EL PROBLEMA NO ES NUESTRA BUENA RELACIÓN... LOS DEL LEHI HABÉIS **ASESINADO** JUDÍOS PORQUE LOS CONSIDERABAIS INFORMADORES Y TRAIDORES, ¡Y HABÉIS PUBLICADO UNA **LISTA NEGRA** CON LOS NOMBRES DE OTROS NUEVE!

SEGUIR POR ESTE CAMINO SERÁ INTERPRETADO COMO UNA AUTÉNTICA DECLARACIÓN DE **GUERRA**. ¡OS LO ADVIERTO!
¿TÚ NOS ADVIERTES A NOSOTROS?

EXACTAMENTE. ¡NO SIGÁIS POR ESE CAMINO, PORQUE SOLO NOS LLEVARÁ A LA **GUERRA CIVIL** QUE TODOS NOS ESTAMOS ESFORZANDO EN EVITAR!

EL LEHI DEBÍA MOSTRAR AL MUNDO DE QUÉ PASTA ESTABA HECHO... NECESITÁBAMOS UNA ACCIÓN **ESPECTACULAR**.

ESTE ES WALTER EDWARD GUINNESS, LORD MOYNE, MINISTRO DE SU MAJESTAD EN ORIENTE MEDIO...

SE ACABARON LOS INSPECTORES DEL CID Y LOS POLICÍAS JUDÍOS... ¡HA LLEGADO EL MOMENTO DE LANZAR UN GOLPE LETAL AL CORAZÓN DEL IMPERIO BRITÁNICO!

ESTE ES EL HOMBRE QUE HA CERRADO LAS PUERTAS DE PALESTINA EN LAS NARICES DE LOS REFUGIADOS JUDÍOS...

...Y TAMBIÉN ES EL RESPONSABLE DEL INCIDENTE DEL STRUMA, HUNDIDO EN EL MAR NEGRO CON 740 REFUGIADOS JUDÍOS A BORDO.

EN LA CÁMARA DE LOS LORES HA HABLADO DE LA "PUREZA" DE LA RAZA ÁRABE, DENIGRANDO LAS TENTATIVAS DE LA "RAZA MIXTA" JUDÍA DE CONTROLAR PALESTINA... ¡ESTE HOMBRE ES NUESTRO ENEMIGO!

ESTA ES UNA ARMA QUE HA GOLPEADO A MUCHOS ENEMIGOS DEL LEHI: IBRAHIM HASSAN EL KARAM, EN JERUSALÉN EN EL TREINTA Y SIETE; EL POLICÍA CAREY, EN EL CUARENTA Y TRES; EL INSPECTOR GREEN Y EL POLICÍA EWER EN HAIFA, EN EL CUARENTA Y CUATRO...

...LA MISMA CON LA QUE, EL SEPTIEMBRE PASADO, MATAMOS AL ODIADO *WILKIN*, ¡RESPONSABLE DE LA MUERTE DE YAIR!

¡CON ESTA, EN CAMBIO, MATAMOS AL POLICÍA ZEV FLESCH, TRAIDOR, ESPÍA, ESCLAVO DE LOS INGLESES!

ENTONCES, ESTOS SON LOS DOS ELIHAU, ¿VERDAD?
SÍ, MICHAEL, SON ELLOS... Y ESTÁN *PREPARADOS*.

ESPERO DE VERDAD QUE LO ESTÉIS. FALLAMOS CON MORTON Y CON MACMICHAEL. *¡NO FALLAREMOS CON MOYNE!*

EL CAIRO, 6 DE NOVIEMBRE DE 1944.

"UN HOMBRE QUE SE DISPONE A QUITARLE LA VIDA A OTRO HOMBRE QUE NO HA VISTO NUNCA Y AL QUE NO CONOCE, SOLO DEBE CREER UNA COSA..."

"...QUE MEDIANTE SU ACTO, ¡CAMBIARÁ EL CURSO DE LA HISTORIA!"

BLAM
BLAM BLAM
"¡NOSOTROS LE CORTAREMOS LA CABEZA A LA SERPIENTE..."

"...NO LA COLA!"

BLAM
CUANDO LOS DOS ELIAHU FUERON CONDENADOS Y AJUSTICIADOS, EL LEHI OBTUVO SUS PRIMEROS MÁRTIRES.

BLAM BLAM

ADEMÁS, NOS HABÍAMOS LIBRADO POR FIN DE LA SOMBRA DEL IRGÚN Y HABÍAMOS MOSTRADO NUESTRA PECULIARIDAD.

TODOS NOS GANAMOS QUE LE PUSIERAN PRECIO A NUESTRAS CABEZAS. ¡LA MÍA VALÍA *200 LIBRAS*!

SE NOS ECHÓ ENCIMA TODO EL YISHUV, AL MENOS "OFICIALMENTE"... BEN GURIÓN DIJO QUE EL ACTO EQUIVALÍA A APUÑALAR POR LA ESPALDA AL PUEBLO JUDÍO.

NOS JUGAMOS INCLUSO EL APOYO DE **CHURCHILL**, QUE SIEMPRE HABÍA APOYADO EL SIONISMO, PERO QUE TAMBIÉN ERA UN BUEN AMIGO DE MOYNE.

PERO HABÍAMOS OBTENIDO LO QUE QUERÍAMOS: LOS OJOS DEL MUNDO SE HABÍAN VUELTO HACIA PALESTINA.

EL LEHI HABÍA DEMOSTRADO QUE PODÍA LIDERAR UNA ***GUERRA TOTAL*** CONTRA INGLATERRA INCLUSO FUERA DE LAS FRONTERAS DE ERETZ ISRAEL.

¡Y HOY SE LO VOLVEREMOS A DEMOSTRAR AL MUNDO!

LLEGA ALGUIEN.
SÍ... ES FALACH. QUERRÁ CONFIRMARNOS EL ITINERARIO DEL CONDE.

PERO... ¿A QUÉ SE DEBE EL RETRASO? ¿DÓNDE ESTÁ LA CARAVANA DE NACIONES UNIDAS?

PARECE QUE EL CONDE HA QUERIDO VOLVER A LA SEDE DEL YMCA NO SÉ POR QUÉ MOTIVO. A ESO SE DEBE EL RETRASO.

MI HOMBRE ENTRE LOS OBSERVADORES DE NACIONES UNIDAS HA CONFIRMADO QUE LA CARAVANA DEL CONDE NO VA ARMADA Y QUE NADIE, NI SIQUIERA LOS OFICIALES MILITARES, LLEVA ARMAS ENCIMA.

¿ESTÁS SEGURO DE QUE LA CARAVANA PASARÁ POR AQUÍ, POR KATAMON? AHORA QUE EL CONDE HA VUELTO ATRÁS, PODRÍA CAMBIAR EL RECORRIDO.
NO, ESTOY SEGURO. NIMRY* ME LO HA GARANTIZADO.

NIMRY JUEGA A DOS BANDOS. AYUDA A LOS INGLESES O A NOSOTROS SEGÚN LO QUE LE CONVIENE, Y YO NUNCA ME HE FIADO DE ÉL.

LO IMPORTANTE ES QUE SE FÍEN DE ÉL LOS OBSERVADORES DE LAS NACIONES UNIDAS. A MÍ ME BASTA CON ESO.

MANTENED VUESTROS PUESTOS Y ATENEOS AL PLAN. ¡NO CAMBIA NADA!

¿TÚ HAS CONOCIDO AL CONDE EN PERSONA?
SÍ, HACE COSA DE UN MES, ANTES DE QUE VOLVIESE A SUECIA.

*: "LEOPARDO", EN HEBREO.

¡ESTOCOLMO ES VUESTRO!
STOCCOLMA IS YOURS GERUSALEMME IS OURS
YOUR WORK IS IN VAIN WE ARE HERE
¡JERUSALÉN ES NUESTRA!
FUE EN EL CONSULADO BELGA, DURANTE UNA REUNIÓN CON EL ALCALDE DE JERUSALÉN.
STOCCOLMA IS YOURS GERUSALEMME
¡ESTOCOLMO ES VUESTRO!
¡JERUSALÉN ES NUESTRA!
¿DE VERDAD SUECIA ES TAN NEUTRAL? ¿ACASO NO LES GARANTIZÓ EL PASO A LAS TROPAS NAZIS PARA LLEGAR A LA URSS DURANTE LA GUERRA ADEMÁS DE PROPORCIONARLE ACERO?

¿Y ESTE "CONDE" ES DE VERDAD IMPARCIAL? ¿NO FUE PROPUESTO COMO MEDIADOR POR EL PROPIO HIMMLER, DESPUÉS DE LA DERROTA NAZI?

¿QUIÉNES SON ESOS, ANDRÉ?
SON DEL LEHI, FOLKE.

¿QUIÉN ES **EN REALIDAD** ESTE "CONDE"? UN HOMBRE CUYAS RAÍCES NOBILIARIAS NO TIENEN MÁS DE CIENTO CINCUENTA AÑOS... ¡PERTENECE A UNA FAMILIA QUE **TRAICIONÓ** A SU BENEFACTOR, EL EMPERADOR NAPOLEÓN!

¡NO TIENE NINGÚN SENTIDO HISTÓRICO Y **NO HAY QUE FIARSE** DE ÉL!

¡DEL MISMO MODO QUE TÚ, BERNADOTTE, PUEDES OFRECER JERUSALÉN A **ABDALÁ**, NOSOTROS PODEMOS OFRECER ESTOCOLMO A LOS **RUSOS**!
YOUR WORK IS IN VAIN WE ARE HERE
YOURS
LEMME
OURS

¿PERO POR QUÉ DICE ESA GENTE ESAS **ESTUPIDECES**, ANDRÉ?
SON PELIGROSOS, FOLKE... VAYAMOS **DENTRO**.

¿QUIÉN NOS GOBIERNA? ¡EL PUEBLO QUIERE SABERLO! ¿BEN GURIÓN O **BERNADOTTE**? ¿EL GOBIERNO PROVISIONAL O LAS **NACIONES UNIDAS**?
YOUR WORK IS IN VAIN
STOCCOLMA IS YOURS GERUSALEMME IS OURS
YOUR WORK IS IN VAIN
STOCCOLMA IS YOURS GERUSALEMME IS OURS!
IN WORK IS IN VAIN WE ARE HERE

ES UN **AGENTE DE LOS INGLESES**, Y QUIERE CEDER EL NÉGUEV Y JERUSALÉN A LOS ÁRABES PORQUE GRAN BRETAÑA NECESITA UN PUENTE ENTRE SUEZ Y EL JORDÁN PARA SUS **OLEODUCTOS**.
STOCCOLMA IS YOURS

AL CONDE NO LE IMPORTAN NI LOS ÁRABES NI LOS JUDÍOS, SOLO LE PREOCUPAN LOS INTERESES DE LAS GRANDES POTENCIAS, ¿NO LO ENTENDÉIS?

BERNADOTTE TIENE EL PODER Y ESTÁ RESPALDADO POR NACIONES UNIDAS, MIENTRAS QUE NOSOTROS SOMOS UN ESTADO PEQUEÑO Y DÉBIL... ¡PERO EL LEHI CAMBIARÁ EL **CURSO DE LA HISTORIA**!

RECUERDO QUE AL MIRARLO NO SENTÍ NADA, NI ODIO NI TEMOR... SABÍA QUE ESTÁBAMOS PLANEANDO MATARLO Y, POR ESO, NO TENÍA MIEDO.

CON EL FIN DE LA GUERRA EN EUROPA Y LAS NOTICIAS DEFINITIVAS SOBRE LA ENVERGADURA DEL **HOLOCAUSTO**, ALGO CAMBIÓ EN LA OPINIÓN DEL YISHUV...

VOSOTROS LO SABÉIS, YO SIEMPRE HE RESPETADO A LA AGENCIA JUDÍA Y CONSIDERABA LOS MOVIMIENTOS CLANDESTINOS UNA AMALGAMA DE FANÁTICOS NACIONALISTAS...

AHORA OPINO QUE LOS PADRES FUNDADORES TAL VEZ TENÍAN RAZÓN... ¡LOS INGLESES NO TIENEN LA INTENCIÓN DE CEDER **NADA**!

¡TIENE RAZÓN! EN LONDRES HA SIDO ELEGIDO UN GOBIERNO LABORISTA Y, ¿SABÉIS QUÉ HA DICHO EL NUEVO PRIMER MINISTRO?
NO, ¿QUÉ HA DICHO?

QUE "ACOGER A MÁS JUDÍOS EN PALESTINA INFLAMARÍA ORIENTE MEDIO". ¡PARA EVITARLO, SOLO CONCEDERÁN EL INGRESO EN ISRAEL A 1500 JUDÍOS AL MES!

Y COMO SIEMPRE HAN AFIRMADO EL IRGÚN Y EL LEHI: EL ESTADO DE ISRAEL NO SE OBTENDRÁ SOLO CON FUNDAR KIBUTZ, SINO MEDIANTE LA FUERZA.
¡ES VERDAD! ¡TIENE RAZÓN!

¿Y QUÉ HACEMOS CON LOS ÁRABES? TAMBIÉN VIVEN AQUÍ Y, COMO NOSOTROS, SUFREN EL YUGO INGLÉS...

OBVIAMENTE, LOS ÁRABES TAMBIÉN TIENEN SUS DERECHOS, PERO LOS NUESTROS SON MUCHO MÁS IMPORTANTES, ¡Y NUESTRAS NECESIDADES PASAN ***POR ENCIMA*** DE LAS SUYAS!

DE REPENTE, YA NO NOS ARRINCONABAN COMO A UNA PELIGROSA BANDA DE CRIMINALES COMUNES...

...Y EMPEZAMOS A ORGANIZAR OPERACIONES CONJUNTAS CON LA HAGANÁ Y EL IRGÚN.

BOOM
VOLAMOS PUENTES...
CLICK

SABOTEAMOS IMPORTANTES NUDOS FERROVIARIOS...

ATACAMOS PUESTOS MILITARES BRITÁNICOS...
RATATATATA
BANG
RATATATATA

BANG
DEBÍAMOS GOLPEAR A LOS INGLESES EN TODAS PARTES Y EN TODO MOMENTO.
BANG
BANG
RATATATA
RATTATATATA
RATATÁ

LA CULMINACIÓN DE ESTA OLA DE ATAQUES LLEGÓ EL 22 DE JULIO DE 1946, EN TEL AVIV.

EH, GERA...
OH, AVNER... ¡POR FIN! ¿CÓMO VA? HE OÍDO LAS EXPLOSIONES DE DISTRACCIÓN...

TODO SEGÚN EL PLAN. LOS HOMBRES DEL IRGÚN ACABAN DE SALIR DE LAS COCINAS DEL HOTEL...

¿PERO POR QUÉ NO HEMOS PARTICIPADO EN LA OPERACIÓN? ¿NO TENÍAMOS QUE OCUPARNOS DEL DAVID BROTHERS BUILDING? ALLÍ TAMBIÉN HAY OFICINAS GUBERNAMENTALES...

HA HABIDO PROBLEMAS DE COORDINACIÓN ENTRE NOSOTROS Y EL IRGÚN, Y EL COMANDO UNIFICADO HA PREFERIDO CONCENTRARSE EN LA OPERACIÓN EN EL HOTEL KING DAVID, UNA DECISIÓN TÁCTICA...

DE VERDAD TE DIGO QUE A MÍ TODA ESTA HISTORIA DEL "COMANDO UNIFICADO" NO ME... ¡OH!
MÍRALA... ¡MÍRALA!
BROUUUMM
LO HAN CONSEGUIDO... MIRA, AVNER, ¡MIRA!

¡AAAH!
¡POR AQUÍ, RÁPIDO!
¡QUE ALGUIEN ME AYUDE!
¡AYÚDENME!

FUE UN ATENTADO **TERRIBLE**. FINALMENTE LOS MUERTOS FUERON MÁS DE NOVENTA, CASI TODOS EMPLEADOS DEL SECRETARIADO... INGLESES, ÁRABES Y JUDÍOS.

ALÁ... ALÁ ES GRANDE...

YO SIMPATIZO CON LAS VÍCTIMAS ÁRABES. SOLO SON SIMPLES INSTRUMENTOS DE UN RÉGIMEN TAN EXTRANJERO PARA ELLOS COMO LO ES PARA NOSOTROS...

ENTONCES, ¿NO CREES QUE ELLOS TAMBIÉN SON NUESTROS ENEMIGOS?
CLARO QUE NO... LOS ÁRABES NO SON EXTRANJEROS EN ESTA TIERRA.

ELLOS TRABAJAN ENTRE NOSOTROS, Y LOS SEGUIRÁN HACIENDO DESPUÉS DE QUE SE HAYA IDO EL ÚLTIMO SOLDADO INGLÉS. NO VEO LA NECESIDAD DE RESOLVER LA CUESTIÓN ÁRABE CON LAS ARMAS, COMO LE GUSTARÍA A LA HAGANÁ.

RESPETO TUS IDEAS, GERA, PERO ESTOY CONVENCIDO DE QUE CUANDO HAYAMOS ECHADO A LOS INGLESES, LOS ÁRABES SE CONVERTIRÁN EN NUESTROS PRINCIPALES ADVERSARIOS...

...POR AHORA, PREOCUPÉMONOS DE LA REACCIÓN INGLESA.

UN CHIVATAZO HABLABA DE QUE ALGUNOS DE LOS RESPONSABLES DEL ATENTADO ESTABAN EN TEL AVIV, Y HUBO NUMEROSOS CONTROLES SORPRESA.

ESTE... Y TAMBIÉN AQUEL. SÁCALOS DE LA FILA.
¡SÍ, SARGENTO!

?

LEVANTA UN POCO LA CABEZA, TÚ... Y QUÍTATE EL SOMBRERO.

YA SABÍA YO QUE HABÍA VISTO ANTES ESAS CEJAS...

¡TÚ ERES YITZHAK YEZERNITSKY, DE LA *BANDA STERN*!

...AL POCO FUE DEPORTADO A ÁFRICA.
¡QUÉ MALA SUERTE!

SÍ. NOS ENCARGAMOS DEL SARGENTO INGLÉS UN PAR DE MESES DESPUÉS, PERO PERDIMOS TODO EL ARSENAL DE MICHAEL, QUE ESTABA ESCONDIDO EN LA GRAN SINAGOGA DE TEL AVIV.

¿VOLVEMOS? QUIERO SABER EN QUÉ PUNTO ESTÁN CON EL CHAVAL.
¿MMM...? DEJA QUE SE LO TRABAJEN UN POCO MÁS...

ENTONCES, TÚ, DE TODA ESTA HISTORIA DE LAS *NACIONES UNIDAS*, ¿QUÉ OPINAS? ¡A LO MEJOR ESTA VEZ LOS INGLESES VAN EN SERIO!
PARTITION APP
MORE THAN 2/

LAS "NACIONES UNIDAS"... ¡BAH! NO ES MÁS QUE UN ESPECTÁCULO. EL DESTINO DEL MUNDO LIBRE NO PUEDE DECIDIRSE EN UNA ORGANIZACIÓN ASÍ...

NO HAY NINGUNA DEMOCRACIA EN LAS NACIONES UNIDAS. TODO EL MUNDO SABE QUE LAS DECISIONES LAS TOMAN LOS JEFES DEL ESTADO MAYOR INGLÉS Y LOS ACCIONISTAS DE LAS COMPAÑÍAS PETROLÍFERAS ESTADOUNIDENSES...

ADEMÁS, ¿QUÉ PROPONEN? LA **DIVISIÓN** DE ERETZ ISRAEL ENTRE NOSOTROS Y LOS ÁRABES... ¡UNA DECISIÓN QUE SOLO PUEDE DAR VIDA A UN ESTADO JUDÍO **MUTILADO**!

PERO LA AGENCIA JUDÍA ES FAVORABLE A LA...
¡LA AGENCIA JUDÍA NO ES MÁS QUE UN **JUDENRAT***!

¡SUS MIEMBROS SON COMO LOS "ANCIANOS" DE LOS GUETOS NOMBRADOS POR LOS **NAZIS**, QUE TRAICIONARON A SU GENTE EN NOMBRE DE LA "RESPONSABILIDAD"!

¿POR QUÉ CREES QUE LOS INGLESES QUIEREN AHORA "DEVOLVER A MANOS DE NACIONES UNIDAS LA CUESTIÓN PALESTINA", EH? ¿**DE VERDAD** CREES QUE QUIEREN RENUNCIAR A TODO?

*: CUERPO ADMINISTRATIVO QUE LA ALEMANIA NAZI IMPUSO A LOS JUDÍOS ENCERRADOS EN LOS GUETOS.

NO, AMIGO MÍO... LA "DIVISIÓN" ES SOLO UN COMPLOT INGLÉS, COMPINCHADOS CON LOS ÁRABES, PARA PERPETUAR SU DOMINIO EN ORIENTE MEDIO. ¡NO LO ACEPTAREMOS JAMÁS! UN ESTADO JUDÍO SOLO PODRÁ SER ESTABLECIDO DENTRO DE LAS FRONTERAS HISTÓRICAS DE LA NACIÓN...

¡ERETZ ISRAEL SERÁ DEVUELTA INTACTA AL PUEBLO JUDÍO!

ENTONCES... ¿EL CHAVAL HA CONFESADO?

NO, NO HA ADMITIDO NADA. ¿QUIERES PROBAR TÚ?

A LO MEJOR CREES QUE ES INÚTIL CONFESAR TU TRAICIÓN PORQUE YA SABES LO QUE TE ESPERA, ¿VERDAD, SCHNELL?

NO SIRVE DE NADA EXPLICAR POR QUÉ EN TU AGENDA TENÍAS UNA LISTA CON LOS NOMBRES DE TUS COMPAÑEROS DEL LEHI, ¿VERDAD?

INÚTIL TAMBIÉN CONTESTAR A NAFTALI, QUE TE ACUSA DE HABERLO IDENTIFICADO PERSONALMENTE AL CUARTEL GENERAL BRITÁNICO... ¿CIERTO?

S-SÉ QUE ESTE ES MI FIN... ¡HAZ CONMIGO LO QUE QUIERAS!

BLAM
BLAM BLAM
BLAM

DESPUÉS LLEGÓ LA RESOLUCIÓN DE LA ONU... LA "DIVISIÓN" ESTABA HECHA.
HABÍA NACIDO EL ESTADO DE ISRAEL... Y TODOS ESTABAN LOCOS DE ALEGRÍA.

TODOS EXCEPTO NOSOTROS.
¡ES UNA *LOCURA*!

EN EL DÍA MÁS OSCURO DE NUESTRA HISTORIA, MIENTRAS DESMIEMBRAN NUESTRO PAÍS, ¡EL PUEBLO BAILA Y ACLAMA A LOS RESPONSABLES DE ESTA *INFAMIA*!

UN ESTADO JUDÍO SIN JERUSALÉN, SIN HEBRÓN, SIN BELÉN, SIN LAS COLINAS DE GALAAD Y BASÁN, SIN LAS TIERRAS DE MÁS ALLÁ DEL JORDÁN... ES UN PEQUEÑO ESTADO SIN LIBERTAD Y *SIN FUTURO*...

MENOS DE VEINTICUATRO HORAS DESPUÉS DE LA VOTACIÓN DE LA ONU, UN GRUPO DE ÁRABES IRREGULARES ABRIÓ FUEGO CONTRA UN AUTOBÚS A LAS AFUERAS DE JERUSALÉN.

RATATATATATATA RATATATATARATATATATATATA

EL MANDATO SE HABÍA SUMIDO EN LA ANARQUÍA.

Y JUSTO DESPUÉS DE LA DECLARACIÓN DE INDEPENDENCIA, LA LIGA ÁRABE ENTRÓ EN ISRAEL. ESTÁBAMOS EN GUERRA.

PAREMOS UN MOMENTO... LOS CHICOS ESTÁN AGOTADOS. DESPUÉS, CADA UNO POR SU LADO.
DE ACUERDO.

ENTONCES, ¿DECIDIDO?
¿QUIERES DEPONER LAS ARMAS COMO NOS PIDE LA HAGANÁ Y COMO HA HECHO EL IRGÚN?

¡POR SUPUESTO QUE NO! ¡EL IRGÚN PUEDE INCLUSO DISOLVERSE CON LA PROCLAMACIÓN DEL NUEVO ESTADO, PERO EL LEHI NO!
BEN GURIÓN ESTÁ DESMANTELANDO INCLUSO EL PALMAJ, FUNDIÉNDOLO CON EL TZAHAL, Y NOS PIDE A NOSOTROS Y AL IRGÚN QUE HAGAMOS LO MISMO. EL "VIEJO" NO QUIERE EJÉRCITOS PRIVADOS EN ISRAEL.

BEGIN HA ACEPTADO DISOLVER EL IRGÚN, PERO HA MANTENIDO A SUS HOMBRES EN JERUSALÉN, ¡E INCLUSO NUESTRAS UNIDADES OPERATIVAS AISLADAS EN LAS CIUDADES ESTÁN ÍNTEGRAS!

NOS TOCA A NOSOTROS ABRIR UN PASO HASTA LA JERUSALÉN ASEDIADA; UNIENDO NUESTRAS FUERZAS PODREMOS ESTABLECER "JUDEA LIBRE", UNA CIUDAD ESTADO INDEPENDIENTE COMO TRIESTE O DANZICA.

¡ES NECESARIO QUE EL LEHI SIGA OPERANDO EN LA CLANDESTINIDAD PARA CONTRARRESTAR A LOS "PACIFISTAS" DE LA AGENCIA JUDÍA Y LA HAGANÁ!
GNAM GNAM
ESTOY TOTALMENTE DE ACUERDO.

CUANDO YO ESTÉ EN JERUSALÉN DIRIGIENDO LA OPERACIÓN, AVNER, TÚ TENDRÁS QUE OCUPARTE DE CERRAR FILAS...

AHORA SOMOS EXTRANJEROS EN NUESTRA PROPIA TIERRA... EL LEHI NO PUEDE PERMITIRSE DESERCIONES.

TENDRÁS QUE FABRICAR MÁS GRANADAS Y MINAS. NUESTRO ARSENAL TIENE QUE SER AMPLIADO...
SIN EMBARGO, CREO QUE ES EL MOMENTO DE DEJAR EL LEHI.

¿TE HE OÍDO BIEN, YEHUDA? ¿QUIERES ABANDONAR LA LUCHA?
NO, NO SE TRATA DE ESO...

CREO QUE DESPUÉS DE LA INDEPENDENCIA, LOS GRUPOS CLANDESTINOS YA NO TIENEN RAZÓN DE SER. POR ESO QUIERO UNIRME A LA HAGANÁ.

¿LO ENTIENDES, AVNER? SIMPLEMENTE, ESTOY CONVENCIDO DE QUE YA ES HORA DE QUE TAMBIÉN EL LEHI SE UNA AL NUEVO ESTADO DE ISRAEL.

YEHUDA NO ERA UN TRAIDOR NI UN ESPÍA.

¡PERO EL LEHI SEGUÍA VIVO Y DEBÍA MANTENERSE ÍNTEGRO!

ELDAD Y GERA DECIDIERON ENVIAR UNA SEÑAL INEQUÍVOCA A NUESTROS HOMBRES.

"¡SOLO LA MUERTE PUEDE ROMPER NUESTRAS FILAS!", DICE EL HIMNO DEL LEHI, ESCRITO POR YAIR MISMO...
...NADIE DEBÍA OLVIDARLO.

TODOS NOSOTROS SABÍAMOS QUE LAS FRONTERAS DE ERETZ ISRAEL SE DECIDIRÍAN POR LA FUERZA, Y NO CON TRATADOS DIPLOMÁTICOS.

EL PRINCIPAL OBJETIVO DE LA OPERACIÓN ES LA DESTRUCCIÓN DE LOS POBLADOS ÁRABES DE ESTA ZONA Y LA EVACUACIÓN DE TODOS LOS HABITANTES... ¡Y ABU GHAWSH ESTÁ INCLUIDO!

TENGO CLARAS LAS ÓRDENES, PERO ESTE POBLADO PODEMOS SALTÁRNOSLO. PODEMOS TRANQUILAMENTE ELEGIR OTRO.

GEULA, EL ESTADO DE ISRAEL NO PUEDE PERMITIRSE LA EXISTENCIA DE UNA "QUINTA COLUMNA" EN SU INTERIOR. POR ESO DEBEMOS REDUCIR AL MÍNIMO EL NÚMERO DE POBLADOS ÁRABES...

¡DE OTRO MODO, LOS ÁRABES PODRÍAN SUBLEVARSE EN NUESTRA CONTRA EN CUALQUIER MOMENTO A CAUSA DE SU VIL Y TRAICIONERA *NATURALEZA MEDITERRÁNEA*!

HAY QUE FORZAR LA MANO DE BEN GURIÓN. EL LEHI TIENE QUE TOMAR UN POBLADO ÁRABE, LIMPIARLO DE SUS HABITANTES Y ENTREGARLO A LA HAGANÁ.
ESO LO ENTIENDO PERFECTAMENTE, AVNER...

PERO DEBEMOS HACERLO POR NUESTRA CUENTA, SIN ACATAR ÓRDENES DE ESE ***PERRO*** DE SHALTIEL* QUE HASTA HACE CUATRO DÍAS, PERSEGUÍA A LOS NUESTROS.

Y ADEMÁS, ESE ÁRABE ME AYUDÓ A HUIR DE LA CÁRCEL BRITÁNICA HACE DOS AÑOS, ¡ASÍ QUE SU PUEBLO ***NO SE TOCA!***

¿***ENTONCES***? ¿HABÉIS TOMADO UNA DECISIÓN?
SÍ, HAY UN CAMBIO DE PLANES... CREEMOS QUE EL MEJOR OBJETIVO PARA NOSOTROS ES EL POBLADO ***DE DEIR YASSIN***, SOBRE LA COLINA AL OESTE DE JERUSALÉN.

ES UN POBLADO PEQUEÑO Y SERÁ UNA OPERACIÓN FÁCIL. EL PALMACH PODRÁ PROPORCIONARNOS UN SENCILLO APOYO MILITAR.

PERO DEIR YASSIN HA SUSCRITO UN PACTO DE NO AGRESIÓN CON LA HAGANÁ, NO ES UN POBLADO ENEMIGO.

*: *EL COMANDANTE DE LA HAGANÁ EN JERUSALÉN.*

SE DICE QUE EN ESE POBLADO HAY FRANCOTIRADORES, Y CUATRO DE LOS CLANES QUE VIVEN ALLÍ ESTUVIERON IMPLICADOS EN LOS DISTURBIOS DE 1929...

...ESTO ME BASTA Y ME SOBRA, ¡Y LA HAGANÁ TENDRÁ QUE AGUANTARSE!

EMPEZAMOS. ¡INDIQUÉMOSLES LA VÍA DE HUIDA!
MUY BIEN, AVNER.

ESTÁN SIENDO ATACADOS POR UNA FUERZA SUPERIOR. ¡LA SALIDA QUE CONDUCE A EIN KARIM ESTÁ LIBRE! ¡CORRAN INMEDIATAMENTE!

THUMP

TE HAS METIDO EN UN FOSO, ¿PERO **ADÓNDE ESTABAS MIRANDO?**
PERDONA, AVNER... DE VERDAD QUE NO LO HE VISTO, ¿Y AHORA QUÉ HACEMOS?

AHORA YA SABEN QUE ESTAMOS AQUÍ, Y LOS HOMBRES DEL IRGÚN ESTÁN ATACANDO POR EL OESTE. ¡VAMOS!

¡LLEGAN LOS JUDÍOS!
BANG
POW

¡HAY GUARDIAS ARMADOS EN AQUELLA GARITA!
¡SOLO SON TRES! **¡FUEGO!**
TATATATATATA

ESTÁ AMANECIENDO... ¡TENEMOS QUE ENCONTRAR LA CASA DEL MUKHTAR*!
¿POR **DÓNDE** ESTÁ? ESTO PARECE UN LABERINTO...

*ELEGIDO, EN ÁRABE.

PTOINN
THACK
PKUOOINNNN
¡A CUBIERTO!

¡ESTAMOS BAJO EL FUEGO DE LOS FRANCOTIRADORES! ¿DESDE DÓNDE DISPARAN?
¡NO LO SÉ! NO HE CONSEGUIDO VERLOS...

MIRA AQUELLOS... ¿SON DE LOS NUESTROS?
¡NO LOS CONOZCO, DEBEN DE SER DEL IRGÚN!

¡EH, VOSOTROS, CUBRIDNOS MIENTRAS SACAMOS A LOS HERIDOS!

¡OLVÍDALO! ¡NO ACEPTAMOS ÓRDENES DEL LEHI!

¡CUBRIDME!
PTOIN
PTOOINNN
PTOINNN
¡¿ESTÁS LOCO?!
PTOINN

AMIGO, ¿DE VERDAD QUIERES MORIR EN ESTE AGUJERO?
PTOIN

¿PERO QUÉ TE PASA? DEBEMOS COORDINARNOS COMO SEA... ¡YO TENGO A DOS HERIDOS AL DESCUBIERTO!

¡LOS ÁRABES HAN RECUPERADO ALGUNAS POSICIONES Y AHORA DISPARAN DESDE LA CASA DEL MUKHTAR, EN LA CIMA DE LA COLINA Y DESDE OTROS LUGARES QUE NO HEMOS IDENTIFICADO! ¿QUIÉN PODÍA ESPERAR UNA RESISTENCIA TAN ORGANIZADA...?

NO ES TAN FUERTE. EN EL PUEBLO NO HAY IRREGULARES ÁRABES. LLÉVAME CON VUESTRO COMANDANTE.
LE HAN DADO... UN HERIDA FEA, NO CREO QUE SALGA DE ESTA.

¡AH!
POW
¡ABAJO! ¡A CUBIERTO!

ES MEJOR QUE NOS RETIREMOS. YO NO QUIERO PALMARLA AQUÍ.
¡MEJOR MANDA A ALGUIEN A PEDIR REFUERZOS AL PALMACH!

NOS HABÍAN ADIESTRADO PARA PONER BOMBAS Y TENDER EMBOSCADAS, PERO NINGUNO DE NOSOTROS ESTABA REALMENTE PREPARADO PARA LA BATALLA SOBRE EL TERRENO.

BOUUMMM
WHOOOOMM
QUERÍAMOS CONQUISTAR UN POBLADO ÁRABE SOLOS Y, EN CAMBIO, FUERON LOS MORTEROS DEL EJÉRCITO LOS QUE DESBLOQUEARON LA SITUACIÓN.

¡HAN CESADO EL FUEGO, ADELANTE!

¡GRANADA!
¡ATENTOS!

BWAAM

MIRA ADENTRO... ¡MUÉVETE!
S-SÍ... YA VOY.

RATATATATATA
¡RAAAH...!

¿VES ARMAS?
N-NO... CREO QUE NO...

¡ADELANTE! ¡NO OS PARÉIS! ¡NO SEÁIS OBJETIVO DE LOS FRANCOTIRADORES!

¡ESTAD ALERTA! ¡PUEDE HABER ENEMIGOS EN CUALQUIER CASA!

¡ALLÍ, ÁRABES! ¡ESTÁN ESCAPANDO!

RATTATATATATA

POW POW POW

CLOP CLOP CLOP CLOP CLOP CLOP

KLIN
KLIN
KLIN KLIN

CLIN CLIN

MIRA, AVNER...
¡LOS DEL IRGÚN HAN HECHO PRISIONEROS!

¡CONTRA EL MURO! ¡RÁPIDO!
S-SÍ... SÍ...

¡ESTO ES POR YIFTACH!
RATTATATTATATTATA

¡VENID! ¡AQUÍ DENTRO HAY ÁRABES!

¡TIRAD LAS ARMAS Y SALID CON LAS MANOS EN ALTO!

¡NO! ¡NO VAMOS A SALIR! ¡NOS VAIS A DISPARAR!

¿QUÉ HACEMOS, AVNER? A LO MEJOR ES OTRA FAMILIA DESARMADA...
¿QUIERES CORRER EL RIESGO?

ALÁ ES GRANDE...
¡IIIIIH!
MAMÁ...
SBAM
TUUD
THUMP

POW
BANG
BANG

VROOM
VROOM
VROOM

VROOM

SKRRRR

TEN.
MM, MM...

¿QUÉ HABÉIS HECHO AQUÍ TÚ Y LOS DEMÁS DISIDENTES?
HEMOS TOMADO EL POBLADO, ELAZAR... Y AHORA OS LO ENTREGAMOS.

¿Y ESOS?
¿ESOS QUÉ?

¡AQUÍ HA HABIDO UNA **BATALLA**! HEMOS TENIDO MUCHAS BAJAS... ALGUNOS MUERTOS Y DECENAS DE HERIDOS. ¿Y TÚ ME PREGUNTAS POR **ESOS**?

¡ESOS SON FALACHIM,* CIUDADANOS DESARMADOS, **MUJERES** Y **NIÑOS**! ¡Y VOSOTROS NI SIQUIERA OS HABÉIS MOLESTADO EN ENTERRARLOS!

NOSOTROS SOMOS **COMBATIENTES**, NO ENTERRADORES. NUESTRA OBLIGACIÓN ERA TOMAR EL POBLADO, Y CONSERVARLO HASTA LA LLEGADA DEL EJÉRCITO... Y ESO HEMOS HECHO, AHORA ES TODO VUESTRO.

¡LOS ÁRABES CON LOS QUE TENÍAMOS ACUERDOS YA NO SE FIARÁN DE NOSOTROS!

¡NOSOTROS LOS **ATERRORIZAREMOS**!
¡HUIRÁN SOLO AL VER ACERCARSE A NUESTRAS TROPAS! YA VERÁS, ELAZAR... ¡ALGO BUENO SALDRÁ PARA LOS JUDÍOS DE DEIR YASSIN!

*CAMPESINOS ÁRABES.

CARRETERA JERUSALÉN TEL AVIV, 10 DE SEPTIEMBRE DE 1948.

¿DE VERDAD QUE LA SITUACIÓN ES TAN GRAVE?
¡INCLUSO **PEOR**! CON EL MEDIADOR DE LAS NACIONES UNIDAS DE NUEVO EN ISRAEL, EL GOBIERNO PROVISIONAL ESTÁ EN LA CUERDA FLOJA.

¡TODO INDICA QUE BEN GURIÓN VA A DECIDIRSE POR LA **ELIMINACIÓN FÍSICA** DEL LEHI! ¡HACE TRES DÍAS, LA POLICÍA MILITAR HIZO UNA INCURSIÓN EN NUESTRO CAMPO DE SHEIKH MUNIS!

¡Y JUSTAMENTE HOY HAN ARRESTADO AL EDITOR DE MIVRAK CON LA EXCUSA DE HABER CONTRAVENIDO LAS DISPOSICIONES DE LA CENSURA!

TEL AVIV, BEN YEHUDA STREET.

¡BIENVENIDO, ELDAD!
¡LA CLANDESTINIDAD TE HA HECHO ENGORDAR, GERA!

VEN, TENEMOS QUE HABLAR... MICHAEL YA ESTÁ AQUÍ Y NOS ESPERA.

¿ENTONCES?
¿ENTONCES QUÉ?
CLUNK

¿DE VERDAD BEN GURIÓN PIENSA ACEPTAR LA TREGUA CON EL CONDE?
PARECE QUE SÍ. NO SE DA CUENTA DE QUE ESTÁ ENTREGANDO NUESTRO NUEVO ESTADO OTRA VEZ A MANOS DE LOS ANGLOSAJONES.

¡EXACTAMENTE! EN VEZ DE APROVECHAR LA OPORTUNIDAD MILITAR QUE SE NOS PRESENTA, BEN GURIÓN Y SUS LACAYOS SE LIMITAN A SUCUMBIR A LAS ÓRDENES DE BERNADOTTE. ¡ES *INCREÍBLE!*

HACE FALTA UN CONTRAATAQUE EN TODA EL ÁREA ENTRE EL RÍO LITANI, AMÁN Y EL CANAL DE SUEZ. ¡SI GANAMOS, LAS POTENCIAS OCCIDENTALES SE VERÁN OBLIGADAS A ACEPTAR LOS *HECHOS CONSUMADOS!*

NO PODRÍA ESTAR MÁS DE ACUERDO. TODO DEPENDE DE LO QUE DECIDAN AHÍ DENTRO.

EL "PALESTINE POST" HA ESCRITO QUE ESTE PODRÍA SER EL ÚLTIMO VIAJE DEL MEDIADOR A LOS PAÍSES ÁRABES ANTES DE SU INFORME FINAL A NACIONES UNIDAS. ¡TENEMOS QUE ACTUAR *YA!*
¡NO NOS QUEDA TIEMPO!

¡SI EL MUNDO ESCUCHA A BERNADOTTE Y PRESIONA A NUESTRO DÉBIL GOBIERNO PARA QUE ACEPTE EL COMPROMISO, *PERDEREMOS* NUESTRO ESTADO! ¡NO PODEMOS PERMITIRLO!

¡ELIMINANDO A BERNADOTTE DEMOSTRAREMOS AL MUNDO QUE ES TAN INÚTIL PARA NACIONES UNIDAS INTERFERIR CON NUESTROS ASUNTOS COMO LO ERA PARA LOS INGLESES!
¿Y NUESTROS HOMBRES QUE HAN DADO LA CARA? ¿LO HAS PENSADO?

TIENES RAZÓN. EL LEHI NO PUEDE REIVINDICARLO ESTA VEZ, NO PODEMOS PONER EN PELIGRO A LOS NUESTROS FUERA DE JERUSALÉN. ¡TENEMOS QUE DESVIAR LA ATENCIÓN!

¡EXACTAMENTE! AQUÍ NO SE TRATA SENCILLAMENTE DE OTRO GOLPE CONTRA LA INJUSTICIA INGLESA. AHORA OPERAMOS BAJO LA LEY DEL ESTADO DE ISRAEL.

EL FRENTE DE LA MADRE PATRIA* SERÁ NUESTRA DISTRACCIÓN. ¡TODOS SOSPECHARÁN DE NOSOTROS, PERO AL MENOS NO DAREMOS MOTIVOS A BEN GURIÓN PARA ACABAR CON NOSOTROS!

¿TIENES YA A LOS HOMBRES ADECUADOS PARA ESTE ENCARGO, MICHAEL?
SÍ, ESTÁN JUSTAMENTE EN LA OTRA HABITACIÓN.

*HAZIT HAMODELETH, GRUPO COMUNISTA CLANDESTINO BÚLGARO DURANTE LA OCUPACIÓN NAZI.

OTORGARÉ EL MANDO EJECUTIVO A FALACH, NUESTRO COMANDANTE MILITAR EN JERUSALÉN.

LA OPERACIÓN SOBRE EL TERRENO LA REALIZARÁ AVNER. ES UN VETERANO, FUE ÉL QUIEN ADIESTRÓ A LOS DOS ELIAHU QUE ASESINARON A LORD MOYNE.

¿ESTÁ DECIDIDO, ENTONCES?
SÍ.
DECI-DIDO.

DEBEMOS ACTUAR DEPRISA. NO TENDREMOS OTRA OCASIÓN.
¿SON ESOS LOS HOMBRES QUE HAS SELECCIONADO?
SON COMPLETAMENTE DE FIAR, Y LOS TRES CON LA MISMA IDEA FIJA: JERUSALÉN *CAPITAL* DE ISRAEL.

BETZALEY...

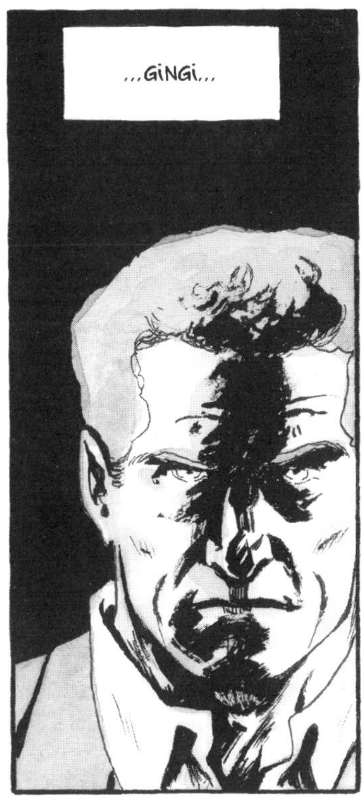
...GINGI...

...Y FINALMENTE YOAV EL LARGO.

¿NO CREES QUE EL ESPIGADO ES DEMASIADO *LLAMATIVO* PARA ESTA OPERACIÓN?
TAL VEZ, PERO ES UN GUÍA PERFECTO Y CONOCE LAS CALLES DE JERUSALÉN COMO NADIE.

ESTAD TRANQUILOS, EL CONDE NO TENDRÁ ESCAPATORIA. ¡Y SIN BERNADOTTE, NO HABRÁ NINGÚN "PLAN BERNADOTTE"!

VLAP VLAP
VROOOM

JERUSALÉN, BARRIO DE KATAMON, 17 DE SEPTIEMBRE DE 1948.

BIEN, ¿ESTOS SON VUESTROS CAMBIOS A MI PLAN INICIAL? VAMOS A VER...

ISRAEL DEBERÍA SER INDEPENDIENTE, Y NO UNA ESPECIE DE "UNIÓN" CON JORDANIA. ADEMÁS, ES NECESARIO QUE JERUSALÉN SEA UNA CIUDAD INTERNACIONAL Y NO PARTE DEL REINO DE ABDULLAH, COMO SE PROPUSO INICIALMENTE.

TEMEMOS QUE ISRAEL CAIGA EN LA ESFERA DE INFLUENCIA COMUNISTA. AL PARECER TANTO EL IZL COMO EL LEHI VAN A RECIBIR APOYO DE LAS FUERZAS SOVIÉTICAS.

NO TENÉIS QUE JUSTIFICAROS, AMIGOS MÍOS. MIS SUGERENCIAS, POR SUPUESTO, SOLO BUSCAN SER UN PUNTO DE PARTIDA PARA FUTURAS NEGOCIACIONES. AHORA VEO LAS COSAS DE UN MODO, PERO LA EXPERIENCIA ME HA ENSEÑADO QUE LOS PLANES CAMBIAN CONTINUAMENTE Y RARA VEZ LOS ACONTECIMIENTOS SIGUEN EL RUMBO PREVISTO.

LO QUE ESTÁ CLARO ES QUE YO HARÉ TODO CUANTO SEA NECESARIO PARA TRAER LA PAZ A ESTA MALTRATADA TIERRA.

HAY UNA COSA EN LA QUE NO PIENSO CEDER, Y ES EL DERECHO DE LOS ***REFUGIADOS*** A VOLVER A SUS HOGARES.

¡ANTES DE DEJAR JERUSALÉN VISITÉ RAMALA, DONDE MILES DE REFUGIADOS ÁRABES DE LOD Y RAMLA ESTÁN AMONTONADOS EN CONDICIONES ***MISERABLES***!

HE VISTO MUCHOS CAMPOS DE REFUGIADOS DURANTE MI TRABAJO CON LA ***CRUZ ROJA*** PERO NINGUNO, CRÉEME ANDRÈ, ME HA IMPRESIONADO TANTO COMO AQUEL MAR DE GENTE SUFRIENDO QUE HE TENIDO QUE ATRAVESAR.

¡EN OCTUBRE, CON LA LLEGADA DE LAS LLUVIAS, ESOS CAMPOS SE CONVERTIRÁN EN UN CALDO DE CULTIVO DE **EPIDEMIAS** DEVASTADORAS! ¡ES OBLIGATORIO ENCONTRAR UNA SOLUCIÓN PARA QUE ESA GENTE VUELVA A SUS CASAS!

DE HECHO, SEÑOR, HEMOS MANTENIDO INTACTO ESTE PUNTO: LOS REFUGIADOS TENDRÁN DERECHO A ELEGIR ENTRE EL RETORNO O UNA INDEMNIZACIÓN.

HAY OTRO PUESTO DEL EJÉRCITO ISRAELÍ.

TODO ESTÁ CORRECTO, CHICOS. ES EL MEDIADOR DE NACIONES UNIDAS, DEJADLE PASAR.
SÍ, SEÑOR CAPITÁN!

ME PREOCUPA EL HECHO DE QUE NINGUNO DE NOSOTROS VA ARMADO, FOLKE. SÉ QUE HA SIDO UNA DECISIÓN TUYA, PERO NUESTRAS CARAVANAS HAN ESTADO RECIENTEMENTE EN EL PUNTO DE MIRA DE LOS FRANCOTIRADORES. Y HAY OTRA COSA...

AHORA MISMO YA NO SON SOLO LOS GRUPOS TERRORISTAS COMO EL IRGÚN O EL LEHI QUIENES TE DEFINEN COMO UN AGENTE DE LOS INGLESES Y LOS AMERICANOS, SINO QUE INCLUSO LA AUTORIDAD ISRAELÍ SE REFIERE A TI DE ESE MODO EN SUS COMUNICADOS OFICIALES. TODO EL EQUIPO ESTÁ MUY PREOCUPADO.

¿DE QUÉ SERVIRÍA UN REVÓLVER CONTRA UN FUSIL DE PRECISIÓN? ES CIERTO, TRABAJAR AL SERVICIO DE LA PAZ ES EXTREMADAMENTE PELIGROSO Y, A MENUDO, REQUIERE DEL SACRIFICIO DE VIDAS HUMANAS, ESO YA LO SÉ...

SIN EMBARGO, LA BANDERA DE NACIONES UNIDAS DEBE SER NUESTRA ÚNICA PROTECCIÓN.
VLAP VLAP

VROOOMM

¡AHORA!

SKREEEEEE
VROOMM

¿POR QUÉ NOS HEMOS PARADO?
PARECE QUE HAY OTRO PUESTO, SEÑOR.

THUMP

¿QUÉ HACE UN COCHE DE LA CRUZ ROJA DETRÁS DE LOS DE NACIONES UNIDAS?
¡NO NOS HABÍAN DICHO NADA!

ESTAD TRANQUILOS Y RECORDAD LAS ÓRDENES. ¡EL PRIMERO QUE RECONOZCA AL MEDIADOR QUE DISPARE A *MATAR*!

ES EL MEDIADOR DE NACIONES UNIDAS. DEJADLE PASAR.

¿PERO ADÓNDE VA ESE IDIOTA?

¿PERO QUÉ PASA?
HAY ALGO QUE NO ENCAJA...

RATATATATTATTA TIATTATATATATTA

¿PERO QUÉ ESTÁ PASANDO? ¿DISPARAN?

RRRATATTATA-TA-TAT
RATATTATATATATA

¿PERO QUÉ HACÉIS? ¿NO HABÉIS VISTO LOS DISTINTIVOS DE *NACIONES UNIDAS*?

¡ES ÉL!

OH, NO... ¡NO!

RATTATATATTATATATA

OH DIOS MÍO... ¡OH, DIOS MÍO!
¡ESTÁN **DISPARANDO** AL COCHE DE BERNADOTTE!

LO SABÍA, MALDITA SEA... ¡QUÉ MALA SUERTE!

¡**ESPERA!** ¡AVNER SE HA QUEDADO ATRÁS!
VROOOOOOOM

¡TENEMOS QUE IRNOS! ¡EL CAPITÁN DEL DE DETRÁS ME HA **RECONOCIDO**!

¡**EH, PARAD! ¿¡ADÓNDE VAIS?!**
VROOOMMMMM

NO ME LO PUEDO CREER... ¡ME HAN DEJADO TIRADO AQUÍ!

"HOY HEMOS AJUSTICIADO AL CONDE BERNADOTTE."

"ÉL OPERABA ABIERTAMENTE COMO AGENTE DEL ENEMIGO BRITÁNICO."

"SU OBJETIVO ERA CUMPLIR CON LOS PLANES INGLESES PARA DOBLEGAR AL PAÍS BAJO UN PODER EXTRANJERO Y ABANDONAR EL YISHUV."

"TODOS LOS ENEMIGOS Y SUS AGENTES TENDRÁN EL MISMO FINAL."

"ASÍ ACABARÁN TODOS LOS ENEMIGOS DE LA LIBERTAD DE LOS JUDÍOS Y SU MADRE PATRIA."

"NO HABRÁ NINGÚN DOMINIO EXTRANJERO EN LA MADRE PATRIA."

"NO HABRÁ MÁS COMISARIOS EXTRANJEROS EN JERUSALÉN."

KiBUTZ SDE BOKER,
1960.

¿Y
DESPUÉS...?

SABES BiEN LO
QUE SUCEDiÓ
DESPUÉS,
DAViD...

CLARO QUE LO SÉ...
PERO ME GUSTA QUE
ME LO CUENTES TÚ,
YEHOSHUA.

DESPUÉS LLEGARON LAS LEYES PARA "EXTIRPAR LA LACRA DEL TERRORISMO DE NUESTRO PAÍS", DIJISTE, "CONTRA UNA ORGANIZACIÓN QUE USA EL ASESINATO COMO INSTRUMENTO POLÍTICO".

"UNA BANDA DE CANALLAS EMBUSTEROS, COBARDES Y VULGARES LIANTES."
EXACTAMENTE LO QUE PENSABA... Y LO QUE TENÍA QUE DECIR PÚBLICAMENTE.

DESPUÉS VINO EL PROCESO Y LA CONDENA, LA AMNISTÍA GENERAL Y LAS PRIMERAS ELECCIONES AL KNÉSET*. NUESTRO "PARTIDO DE LOS COMBATIENTES" OBTUVO POCO MÁS DEL 1 POR CIENTO DE LOS VOTOS.

LO RECUERDO BIEN... 5363 VOTOS, 190 MÁS QUE LA ORGANIZACIÓN SIONISTA INTERNACIONAL DE LAS MUJERES, ¡UN ÉXITO!

EXACTAMENTE, UN AUTÉNTICO TRIUNFO... DE MODO QUE AL FINAL EMPEZAMOS A ENFRENTARNOS ENTRE NOSOTROS.

*PARLAMENTO ISRAELÍ FORMADO EN 1949, AL DÍA SIGUIENTE DE LA CREACIÓN DEL ESTADO DE ISRAEL.

ELDAD ACUSÓ A YELLIN-MOR* DE HABER TRAICIONADO LOS IDEALES DE STERN Y HABER TRANSFORMADO EL MOVIMIENTO EN UN PARTIDO NEOMARXISTA. ÉL RESPONDIÓ OBLIGÁNDOLO A DEJAR EL PARTIDO.

NO TENÍAMOS UN PROGRAMA POLÍTICO NI UNA DIRECCIÓN ESTRATÉGICA, Y LA DISPERSIÓN FUE INEVITABLE.

Y ENTONCES VINISTE AQUÍ AL NÉGUEV, A FUNDAR ESTE KIBUTZ... A "HACER FLORECER EL DESIERTO".

SÍ, DESPUÉS DE HABER ECHADO A LOS ÚLTIMOS BEDUINOS QUE VIVÍAN AQUÍ. NUESTRA LUCHA AÚN NO HA ACABADO, LO SABES BIEN.

BASTA, BASTA... LLÉVAME A VER LOS OLIVOS, YEHOSHUA. ESTE "VIEJO" ESTÁ HARTO DE LAS HISTORIAS DE LUCHA.

*NUEVO NOMBRE DE FRIEDMAN TELLIN.

RECUERDO QUE, DESPUÉS DE LA AMNISTÍA, HICIMOS UNA ESPECIE DE REUNIÓN, LA PRIMERA Y LA ÚLTIMA...
NUNCA ANTES HABÍAMOS ESTADO TODOS JUNTOS. LA GENTE INTERCAMBIABA SUS NOMBRES AUTÉNTICOS Y SUS DIRECCIONES, INCRÉDULOS POR ESTAR HABLANDO EN PERSONA CON LOS "LEGENDARIOS" MICHAEL, ELDAD Y GERA...
NADIE HIZO DISCURSOS, NADIE LLORÓ. EL CLIMA ERA TRANQUILO, UN POCO TRISTE. YA NO ÉRAMOS "SOLDADOS SIN NOMBRE, GENTE SIN FAMILIA"...
...YA NO ÉRAMOS NADIE.

GLOSARIO

Agencia Judía para Israel: Reconocida por la Sociedad de Naciones desde 1922, era la organización responsable de los asentamientos judíos en Palestina.

Criminal Investigation Department (CID): Departamento de investigación que comprende todas las fuerzas de policía territorial de la Policía británica y de la Commonwealth.

Eretz Israel: Denominación de Palestina en la religión judía. Los ideólogos sionistas reivindicaban el territorio bíblico en nombre de la liberación del país de la ocupación extranjera. Con el término "extranjeros" se definía a todos los no judíos que habían vivido en Palestina desde la época de los romanos.

Haganá: (defensa en hebreo.) Fue creada en 1920 bajo la protección de las colonias judías. En su interior estaba la organización de autodefensa Hashomer ("el Guardián"), creada en 1909 y conocida por la importante agresividad que caracterizaba sus acciones. Bajo la influencia de Charles Orde Wingate, un oficial británico fascinado por el sueño sionista que creó, entrenó y guió personalmente a las fuerzas especiales en asaltos nocturnos, la Haganá se convirtió rápidamente en el brazo militar de la Agencia Judía para Israel. Cuando en 1936 el pueblo árabe se rebeló en los tristemente famosos motines árabes contra la inmigración masiva judía, la Haganá adoptó el llamado havlaga (autocontrol, en hebreo) como estrategia de defensa de la comunidad, que excluía cualquier tipo de represalia violenta. Después de la proclamación del estado de Israel, la Haganá se convirtió en las Fuerzas de Defensa de Israel (FDI), Tsva Hahagana LeYisrael, llamado simplemente Tzahal.

Irgun Zevai Leumi (IZL): Nombre hebreo de la Organización Militar Nacional. También se conoce como Etzel (acrónimo del nombre en hebreo) o como Irgún. Fundado por Jabotinsky, creador del movimiento revisionista, se escindió de la Haganá en 1931 por cuestiones de naturaleza exclusivamente militar: Menachem Begin, al mando de la organización, no aprobaba la política del autocontrol, y pretendía responder ojo por ojo a las agresiones árabes.

LEHI (Lohamei Herut Israel): Nombre árabe de los Combatientes para la libertad de Israel, grupo conocido también como Banda Stern. Se separa del Irgún en 1940 porque su fundador, Abraham Stern, no quiso aliarse con los ingleses en la lucha contra el nazismo, y no abandonó las acciones militares contra Gran Bretaña, considerado por este como el auténtico enemigo del estado de Israel.

Palmach: Literalmente, fuerza de ataque, unidad de combate de la Haganá instituida en 1941.

Yishuv: La comunidad judía en Palestina.

LA BANDA STERN

Claudio Vercelli

«Hay una palabra que se usa mucho en los kibutz, la palabra "camino". Se dice: "un camino largo, pero puro", "salirse del camino", "hacer camino sin acobardarse". El camino implica un avance continuo hacia una meta lejana, y poco importan los obstáculos que haya que superar. En el Lehi, la palabra clave era "acción": "una acción clamorosa", "una acción reivindicativa" cualquier acción que fijase inmediatamente en el presente el alcance del gesto. Es la diferencia entre una canción susurrada y un potente grito.»[1] Acrónimo de Lohamei Herut Israel, los "combatientes para la libertad de Israel", el Lehi, o Leji, dependiendo de la transliteración, se dio a conocer en los años del declive del Mandato Británico sobre Palestina, cuando la lucha entre los ingleses y los asentamientos sionistas se hizo especialmente áspera, sin cuartel. Normalmente, las autoridades definían el grupo como "Banda Stern", en referencia al nombre de su fundador, Abraham "Yair" Stern. Nacido en Polonia en 1907, fue a vivir a Palestina en 1925, después de estudiar en la Universidad hebrea de Jerusalén y especializarse en letras clásicas. Allí se afilió al partido revisionista fundado por Vladimir "Zeev" Jabotinsky, así como al Irgún Zevai Leumi, la "Organización Militar Nacional" cercana a las posiciones del líder de la derecha sionista. El componente revisionista, que gozaba de gran aceptación en Polonia y simpatías minoritarias, pero no irrelevantes, en los territorios palestinos, estaba activamente relacionado con el movimiento de renacimiento nacional judío, cuyo objetivo era arrebatar el poder a los socialistas. Stern, sensible al discurso nacionalista y al activismo de los círculos anticomunistas, asumió en seguida el liderazgo, junto con David Raziel, de la facción más radical del Irgún. En 1937, después de una escisión interna, los cerca de mil setecientos militantes que quedaban en las filas del grupo iniciaron una larga campaña de violencia antibritánica. La acentuación de los rasgos voluntaristas y agresivos, que encontraban escaso apoyo en Jabotinsky y cosechaban el rechazo abierto del sionismo laborista, comportaron el aislamiento del grupo que se formó en torno a Stern y determinó también su fractura con el propio revisionismo. En septiembre de 1940, cuando Europa estaba en plena guerra desde hacía un año y el destino de la comunidad judía continental era cada vez más angustiante, nació el Irgún Zevai Leumi be-Israel, rápidamente conocido como Lehi. Abraham Stern era el ideólogo y jefe carismático, con el apoyo de una plataforma política que hacía del recurso sistemático a la violencia contra los ingleses el principal medio, pero también el objetivo político más importante de las

BANG
BANG
BANG
BANG
BANG

operaciones de todo el grupo. Al independentismo y al nacionalismo, que estaban en la raíz del proyecto de constitución de una patria judía, compartido con las demás fuerzas políticas, en el caso del Lehi se sumaba también la doble cuestión de los medios y de los objetivos. En cuanto a lo primero, se consideraba el terrorismo como instrumento legítimo; en cuanto a lo segundo, se identificaba el poder político como auténtico objetivo hacia el que orientar todas las energías, mucho más que hacia la población local árabe, contra la cual el revisionismo radical sostenía una posición ambivalente que oscilaba entre la comprensión y el rechazo. Medios y objetivos diferían, y mucho, del funcionamiento del sionismo mayoritario, ese que, en los años anteriores, había ido gestándose en torno a David Ben Gurión y Chaim Weizmann, y que se limitaba a una actitud pragmática, donde el recurso a la fuerza solo se consideraba una de las opciones posibles y, ni siquiera, la más importante. Aunque estaba claro para todos que el horizonte político que se dibujaba en los años de la Segunda Guerra Mundial contemplaba la altísima probabilidad de un conflicto armado, para la mayoría de dirigentes sionistas y de los movimientos políticos que expresaban esas ideas no era menos importante razonar y prever el cómo y el contra quién se llevaría a cabo. Desde ese punto de vista, el realismo político en el que se basaba el liderazgo laborista reclamaba la necesidad de no tensar demasiado la cuerda del enfrentamiento con la potencia ocupante, es decir, Gran Bretaña. Se trataba de mantenerse dentro de un contexto en el que los efectos de las propias acciones pudieran ser gestionados individualmente, sin sufrir desviaciones peligrosas. Influía en esto también un conflicto no resuelto con Londres: por un lado, Gran Bretaña mantenía injustamente el control sobre la porción de tierra sobre la que debía nacer el futuro estado judío; por el otro, la democracia liberal inglesa no solo era un modelo en el que inspirarse culturalmente, sino también el país que entre 1939 y 1941 había plantado cara en solitario a las potencias del Eje, impidiendo así que desde el Norte de África sus tropas invadieran también Palestina. El temor de una guerra civil que seguramente hubiera destruido el propio Yishuv, el "asentamiento" judío (separando así a los antibritánicos más encendidos del resto de la población, que se inclinaba progresivamente hacia la meta de la independencia), se unía a la posibilidad de una represión británica violenta, que habría desarticulado las aún frágiles estructuras del judaísmo palestino. Además, la certeza de que los números no jugaban a favor de la comunidad judía, compuesta por menos de la mitad de la población árabe presente en aquellas tierras en las que más adelante nacería, en mayo de 1948, el estado de Israel, inducía no solo a la cautela sino también a un juego en más tableros, donde la mediación política y la diplomacia tenían un papel tan importante como las demostraciones de fuerza (la inmigración clandestina, el enfrentamiento directo con la población autóctona, las decisiones políticas unilaterales, la constitución de una fuerza armada autónoma) que, sobre todo a partir de 1945, caracterizaron totalmente las operaciones de la cúpula sionista palestina. En general, esta última, después de las decisiones tomadas en la conferencia de Biltmore, celebrada en Nueva York en mayo de 1942, se había dedicado definitivamente al objetivo de crear un estado judío aprovechando la oportunidad política que el segundo conflicto mundial y la postguerra estaban ofreciendo a los movimientos independentistas y anticolonialistas. El grupo formado en torno a Stern se movía, en cambio, según una lógica distinta en muchos sentidos, cuando no opuesta. Sustituía la mezcla de diplomacia y fuerza, por el enfrentamiento directo, ya que consideraba la mediación una falsa vía de escape al control de la potencia al mando. Para el revisionismo radical, el espíritu en el que inspirarse era el activismo vitalista que, en el imaginario figurado de los contemporáneos, había acompañado a la antigua sublevación judía contra el dominio romano y, en tiempos mucho más recientes, la llevada a cabo por el anarquismo revolucionario ruso así como el independentismo irlandés. Raíz común de estos fenómenos históricos, por otro lado muy distintos entre sí, es la consideración de la fuerza armada como factor resolutivo de los enfrentamientos entre intereses opuestos y, al mismo tiempo, como instrumento educativo en la formación de una nueva comunidad nacional. A su manera, el Lehi, cuya trayectoria no duró más de ocho años, se enfrentaba a un problema doble: por un lado, el de liberar una tierra de la presencia de "hostiles" y, por el otro, el de formar un pueblo, considerado aún muy frágil para emprender por sí solo la construcción nacional. Entraba pues en juego la pedagogía del sacrificio y del ejemplo que, aunque sin hibridarse con ninguna impostura rigurosamente religiosa, absorbía igualmente el mesianismo de fondo, contaminándolo con un *ethos* al mismo tiempo fatalista y nihilista. A Jabotinsky se oponía el "moderacionismo", que le había inducido a él y, después de su muerte ocurrida en 1940, a sus seguidores a establecer pactos con los ingleses y con el sionismo mayoritario. Dos caras de la misma moneda, según la interpretación más rígida, pero también la más extendida, entre los militantes del Lehi. Para estos, los representantes del Yishuv debían ser considerados, por muchos motivos, colaboracionistas de la "ocupación". Una mezcla de romanticismo y venganza animaba

pues las elecciones y el comportamiento del grupo, que actuaba según una lógica inexorablemente conspirativa, siendo ubicado en el bando de los británicos y considerado una variable ingobernable por parte de los líderes de la facción benguriana. Si la lucha y el sacrificio de los patriotas irlandeses, unidos en torno a James Conolly, inspiraban sentimientos de sacrificio y devoción que, a la práctica, llevaron a la plena legitimación de los actos de terrorismo contra los enemigos, no había ningún pensamiento estratégico en la base de un grupo que no conseguía ir más allá de las meras demostraciones de fuerza. Al más puro estilo vitalista, que enfatizaba la lucha por la lucha, Abraham Stern, ya fuertemente impresionado por el fascismo durante el periodo que pasó estudiando en la Florencia de los años treinta, creía que sería el "ejemplo creativo" lo que construiría las circunstancias de la evolución del cuadro político palestino. No es que de esto derivase una forma de ateísmo; más bien lo opuesto, se tradujo en una impaciencia perenne que legitimaba la violencia como elemento resolutivo. De aquí la cercanía del Lehi con algunas ideas de la derecha radical europea en los años del totalitarismo. Más que una adhesión ideológica orgánica al régimen de Mussolini, del que sí se adoptaron algunos rasgos fascistas, era una presencia de una consonancia cultural de fondo, aunque sin posterior evolución. Es cierto que Stern coincidía con la hipótesis de un estado corporativo y una configuración orgánica del desarrollo social, pero los gestos del momento no se tradujeron nunca en una teoría política completa. Del fascismo, por otro lado, se asumían ciertas premisas sorelianas, las que identificaban en los movimientos de masas y la movilización colectiva dos muestras de cambio, junto con la importancia que se atribuía a la llamada tradición, una mezcla de símbolos y mitos que debía estar en la base de la legitimación del renacimiento judío. El recurso a la fuerza se entendía como la comadrona de la historia judía, que conjugaría el orgullo adquirido y la intransigencia exacerbada. Los ecos de Nietzsche (y de un cierto darwinismo social que había madurado tras la crisis del positivismo de finales del siglo XIX) eran aquí tan densos que la fuerza física se identificaba como la muestra tangible de la voluntad y esta última como la prueba irrefutable de una superioridad inscrita en las cosas y los hechos. Bajo esta premisa, los esclavos no tenían motivo para seguir existiendo, ni para reivindicar su propia emancipación, si no pensaban liberarse de sus cadenas con sus propias fuerzas y nada más. En otras palabras, la fuerza es la razón y la razón está del lado de la fuerza. Después de que a esta configuración tan escasamente elaborada en el plano doctrinal le fuera añadido el modelo de partido leninista, con el esquema organizativo de cuadros revolucionarios y la conciencia colectiva como remate, junto con la inclinación en clave socializadora en cuanto a los temas económicos, todo acaba en clave antiburguesa. El antiimperialismo era, en resumen, un pegamento válido, ya que permitía identificar en la presencia británica, no solo la muestra de la opresión sobre los judíos, sino también la brújula gracias a la cual orientar un discurso que tomara en consideración el problema de la relación con el preponderante mundo árabe. A esto último pertenece la utópica expectativa que adjudicaba a una concatenación de sublevaciones nacionalistas el rediseño político del área mediterránea meridional, destinada así a liberarse del "opresor extranjero", identificado siempre con los británicos, y a permitir al estado judío existir de manera segura y continua. Los objetivos de fondo, contenidos en el documento *Ha-Techiya - Los principios del renacimiento*[2] remitían a la "redención de la tierra", a la "restauración del Reino" y al "renacimiento de la nación", todo incluido en una visión que hacía de la historia el lugar en el que el providencialismo laico de larga duración podría realizarse de manera plena y definitiva, con actuaciones de un diseño tan antiguo como obligado. Si, de una parte, el lenguaje adoptado era deudor de la religiosidad judía, su sintaxis política o, más bien, su traducción en actos concretos, redefinía de forma integral los límites entre la escatología mesiánica y el activismo laico en favor del segundo, sobre todo allí donde las ideas de Mazzini, basadas en la centralidad de la acción conspirativa, parecían salir ganando. Destaca el hecho de que ese tipo de concesiones de fondo, con fuertes connotaciones en el plano apocalíptico, convertían al Lehi en algo rígido y lo pribavan de los espacios de negociación y mediación de los que debe disponer cualquier movimiento que aspire a ser político para poderse dotar de un necesario margen de acción. También derivaban de esta rigidez, indicada a definir el fin —el Estado de Israel en cuanto a "Tierra de Israel", es decir "Eretz Israel según los límites definidos en la Biblia",[3] entendido como una especie de cumplimiento de una voluntad superior (que no coincidía con Dios sino con una especie de super ego, el de los militantes del movimiento)— los intentos, desastrosos políticamente, de establecer contactos con la Alemania de Hitler, bajo la hipótesis, surrealista, de negociar una división de los papeles según la cual, después de la derrota de los odiados británicos, se constituiría una comunidad política judía con buenas relaciones con las potencias del Eje. Es inútil decir que solo la atención de estas hacia las

reivindicaciones árabes, así como su visceral antisemitismo, constituían ya una barrera infranqueable. En diciembre de 1940, la misión de un enviado de Stern, que se reunió en el Líbano con dos diplomáticos nazis con el encargo de exponer su hipótesis de una solución definitiva a la "cuestión judía" que hubiera comportado el nacimiento de una Palestina judía favorable al Eje, chocó contra los hechos.[4] Por lo demás, el Lehi, que en su momento de mayor expansión llegó a contar con no más de trescientos militantes, estuvo acompañado durante toda su breve existencia por el binomio de irracionalidad y utopía. El terrorismo era pues una forma de desfogarse obligatoria dado que el grupo no preveía recurrir a la acción política sino, más bien, a los acontecimientos vistosos. Después de la muerte de Abraham Stern, asesinado por la policía británica en 1942, y la consiguiente reorganización del pequeño movimiento bajo el triunvirato de Natan Yellin-Mor, Israel Eldad y Yitshak "Michael" Shamir[5], la atención sobre los temas más tradicionales de la izquierda (la relación con los árabes, el antiimperialismo, una condescendencia más o menos explícita a las hipótesis de una intervención directa del estado en el campo económico) ganaron importancia. Sobrevivía el enfoque claustrofóbico que encontraba en la actuación subversiva y en el homicidio político la matriz de fondo y la inspiración de los principios de identidad del grupo. Se trataba del recurso al "terrorismo personal", que implicaba golpear objetivos muy específicos, casi exclusivamente ingleses y judíos considerados excesivamente colaboracionistas con las autoridades en el poder, sin preocuparse demasiado por los efectos colaterales (víctimas inocentes, intensificación de la represión inglesa, creciente aversión por parte de los árabes). El asesinato del ministro residente para Oriente Medio del gobierno británico, Lord Walter Guinnes di Moyne, el 6 de noviembre de 1944, gesto condenado por el Yishuv, marcó al mismo tiempo, como suele ocurrir en los movimientos conspirativos terroristas, el apogeo y el inicio del declive. En este caso era importante la desconfianza, a menudo rayando en la hostilidad, que consideraba que el movimiento sionista se estaba convirtiendo en un grupo visto como compuesto por peligrosos provocadores, totalmente irracionales y autoreferenciantes. Por otro lado, el recurso al homicidio político estaba muy lejos de formar parte de una estrategia congruente y revelaba, si acaso, la debilidad que acompañaba a todo el Lehi, cuya cúpula había sin embargo aspirado a asumir el control del Irgún y, en consecuencia, de todo el frente revisionista, aunque los hechos no solo se lo impidieron sino que los dejó totalmente asilados. En la postguerra, cuando el conflicto con los ingleses, así como con la población árabe, se exacerbó y asumió un tono de auténtico conflicto que derivó, en 1948, en una guerra contra las tropas de los estados ocupantes, el movimiento que había fundado Stern perdió adhesiones y relevancia y fue totalmente alterado por la evolución de las cosas. En este punto, la constitución del Yishuv como comunidad polí-

tica independiente así como el nacimiento de Israel decretaron el fin de los pocos espacios de acción que se habían dedicado en exclusiva a la lucha antibritánica, asumiendo comportamientos de ruptura abierta con los organismos del sionismo mayoritario. Si el atentado contra el hotel King David el 22 de julio de 1946, obra conjunta del Irgún y el Lehi y que provocó la muerte de 91 personas, había provocado el rechazo de buena parte de los exponentes de la comunidad judía palestina, aún más disensiones causó la masacre de Deir Yassin en la que el 9 de abril de 1948, hombres de ambos grupos mataron al menos a un centenar de habitantes en el pueblo homónimo. El último gesto de importancia por parte de lo que quedaba del movimiento, después de haber sido oficialmente disuelto y sus miembros, después de recibir la amnistía o el perdón judicial, integrados como parte del cuadro de comandantes de la recién constituida fuerza de defensa israelí, fue el asesinato del conde Folke Bernadotte, enviado como mediador por la Organización de las Naciones Unidas para el conflicto entre árabes y musulmanes. Era un intento extremo, mediante un espectacular golpe de efecto, de mantener un perfil organizativo autónomo, aunque residual, introduciéndose sobre todo en la áspera batalla en curso por el control de Jerusalén y sus vías de acceso. Se trataba de negociar mejor su papel en el nuevo estado. Sin embargo, no conseguirían casi nada, porque la historia ya iba un paso por delante de estos protagonistas *underground*, atrapados en su propia utopía violenta, más en el pasado que en el presente de una nación que, después de múltiples trabajos, estaba naciendo.

1. Avner, *Memorie di un terrorista. Israele: 1945-1948*, Mondadori, Milán, pág. 57.
2. Frank Cass, *Yaacov Shavit, Jabotinsky and the Revisionist Movement*, Londres, págs. 154-155.
3. Paolo di Motoli, *Il mastini della terra: La destra israeliana dalle origine all'egemonia*, I libri di Icaro, Lecce, pág 96.
4. Sobre este tema, véase Lenni Brenner, *The Iron Wall: Zionist Revisionism from Jabotinsky to Shamir*, Zed Books, Londres, págs. 195-197.
5. Su alias era un homenaje al líder irlandés Michael Collins, líder de la revuelta independentista.

LOS LÍDERES DEL LEHI

YAIR
Abraham Stern, fundador del Lehi.

Abraham Stern eligió su alias, Yair, "el que ilumina", por el líder de los sicarios de Masada, Elazar Ben-Yair. Los sicarios eran un grupo de asesinos a sueldo que vivieron en la época del segundo templo de Jerusalén (69-70 d.C.). El término sicario deriva de "sica", una daga de pequeñas dimensiones que los asesinos podían esconder fácilmente bajo la ropa.

MICHAEL
Yitzhak Yezernitsky, después Yitzhak Shamir.

GERA
Nathan Friedman-Yellin, después Yellin-Mor

ELDAD
Israel Scheib

LOS MIEMBROS DEL LEHI

FALACH
Yehoshua Zettler, comandante del Lehi en Jerusalén.

SHAUL
Eliyahu Gilad

EL COMANDO QUE ASESINÓ A BERNADOTTE

YEHOUSUA COHEN
El sobrenombre Avner, citado en las páginas del cómic, es un nombre en clave inventado, elegido por el autor por exigencias narrativas.

El asesino del conde Folke Bernadotte. Huyó al sur, al Neguev, para fundar el kibutz de Sde Boker, donde el ex primer ministro David Ben Gurión transcurrió sus últimos años. Los dos se hicieron amigos íntimos. Murió en 1986.

BETZALEY
Yitzhak Ben Moshe

GINGI
Zingar

YOAV EL LARGO
Meshulam Makover

CRONOLOGÍA DE LOS HECHOS ESENCIALES

1975

Los restos mortales de los dos asesinos de Lord Moyne fueron repatriados a Israel y enterrados en el monte Herzl de Jerusalén, donde reposa el padre fundador del sionismo y otros líderes del estado de Israel. El gobierno envió al funeral una representación oficial y Yitzhak Shamir pronunció el panegírico. En 1982, el gobierno israelí decidió imprimir una edición especial de sellos en su memoria.

1977

Menachem Begim, líder del Irgún, se convirtió en primer ministro de Israel.

1980

Israel otorgó honores al Lehi por "el servicio militar a la creación del estado de Israel" y fueron atribuidos a los exmiembros del movimiento clandestino que lo solicitaron.

1983

Yitzhak Shamir, el hombre que durante años había sido el terrorista más buscado del país, se convirtió en primer ministro de Israel.

1991

Yehoshua Zettler, Makover, Scheib y Hillman participaron en una retransmisión televisiva presentada por Amos Ettinger y explicaron en detalle, ante un público entregado, el asesinato del primer mediador de las Naciones Unidas para Oriente Medio, obra del Lehi.

LOS "AGUJEROS" DE LA HISTORIA

Luca Enoch

En la historia hay agujeros o, al menos, en el conocimiento que creemos tener de la historia. Periodos poco conocidos, mal conocidos o del todo desconocidos. Y no por falta de fuentes historiográficas o testimonios directos. Son periodos que no nos interesan, que creemos que no tienen nada que ver con nosotros porque están alejados de nosotros en el tiempo y en el espacio; periodos que nos avergüenzan, tal vez relativos a episodios poco edificantes de nuestro pasado nacional, y de los cuales aceptamos de buena gana la versión oficial, a menudo autoabsolutoria; periodos que nos asustan o de los que nos avergonzamos y de los que nos mantenemos alejados, sin ningún deseo de profundizar.

No sé a qué categoría pertenecen las vivencias que he querido contar en estas páginas, pero lo que es cierto es que se trataba de un gran agujero en mi conocimiento de la historia.

¿Qué había antes de Israel? ¿Cuál era la realidad histórica de Palestina, antes y durante la Segunda Guerra Mundial, que vivió el genocidio de los judíos europeos? Hasta 1917, la región se confundía en las fronteras del imperio Otomano, sin identidad especifica. ¿Cómo se transformó en el país que focaliza casi a diario la atención mundial desde hace más de medio siglo?

La historia que descubrí, intentando llenar mis lagunas, está hecha de inmigración, dramas personales y colectivos, actos de violencia, desencuentros culturales, lucha diplomática... y lucha armada. Una lucha sin cuartel, que a menudo adquiere la horrible forma del terrorismo, como lo conocemos hoy en día, con bombas en lugares públicos y "homicidios dirigidos" contra adversarios y colaboracionistas.

La historia de Palestina durante los años del Mandato Británico, institución que permitió al Reino Unido gobernar la región durante casi treinta años, fue también la historia de los grupos clandestinos paramilitares sionistas, entre ellos la Haganá, el Irgún y el Lehi.

La historia del Lehi o, como lo llamaban los ingleses, la Banda Stern me impactó especialmente; un grupo muy reducido que nunca llegó a contar con más de unos centenares de miembros, extremadamente violento, fundado y guiado durante un par de años por un carismático individuo con comportamientos mesiánicos y que tuvo en sus filas incluso a un futuro primer ministro israelí. Un grupo que nunca gozó de gran popularidad en la comunidad judía en Palestina, que era visto incluso como una común banda armada y no como un heroico grupo de patriotas. Hostigado e incluso perseguido por otros grupos disidentes, con pocos medios y ningún padrino, este exiguo grupo de radicales consiguió realizar un par de golpes con fuerte repercusión internacional. Aunque a pesar del clamor mediático y la violencia, fueron golpes al vacío. A pesar de la determinación con la que sus miembros llevaban a cabo su estrategia, el Lehi no consiguió nunca llevar el debate político o los eventos bélicos en la dirección deseada. Aislado, sin contacto con las autoridades judías, completamente a la sombra en los planes para el futuro israelí, el Lehi luchó y sembró la muerte con la ilusión de tener un peso efectivo en el caótico proceso que llevó al nacimiento del estado de Israel.

Para complicar aún más la confusa masa de atormentadas vicisitudes de este grupo armado, he usado un artificio literario: el protagonista, que empieza su actividad clandestina como un joven entusiasta y acaba como asesino a sangre fría, se inspira en la figura de un personaje que existió realmente, Yehoshua Cohen, el autor material del atentado contra el mediador de la ONU, el conde Folke Bernadotte. Al mismo tiempo, es una amalgama de diversos miembros anónimos del Lehi que, en el curso de una década, llevaron a cabo los atentados y los homicidios narrados en este libro.

Avner, el nombre ficticio que le he dado al personaje de Cohen, se convierte así en una especie de guía que lleva de la mano al lector y lo conduce por la discontinua vida del grupo clandestino sionista. Los demás personajes son casi todos reales y dijeron e hicieron las cosas descritas en esta *graphic novel*. Cuando las fuentes históricas directas han escaseado o me han parecido insuficientes, he usado una dosis moderada de fantasía, siempre sostenida con la más sólida estructura historiográfica.

Por ejemplo, es cierto que el homicidio de Eliahu Gilado (Shaul) por parte del Lehi fue avalado por Yitzhak Shamir en persona (él mismo asume la total responsabilidad en su autobiografía *Summing Up*), pero su presencia en la ejecución ha sido una elección narrativa propia a la que he llegado después de desnudar las diferentes versiones, más o menos noveladas, que circulan sobre el episodio. Cuando he decidido doblegar la verdad histórica a las exigencias del relato lo he hecho solo en beneficio de la fluidez y la exhaustividad del relato, siempre que haya conseguido estos objetivos.

Colección Nómadas

OTROS TÍTULOS

KLEZMER
Joann Sfar
1. La conquista del Este (Nómadas nº 1)
2. Feliz cumpleaños Scylla (Nómadas nº 5)
3. Todos ladrones (Nómadas nº 11)

AYA DE YOPOUGON
M. Abouet y C. Oubrerie
1. (Nómadas nº 2) / 2. (Nómadas nº 10)
3. (Nómadas nº 14) / 4. (Nómadas nº 24)
5. (Nómadas nº 30) / 6. (Nómadas nº 36)

TAMBÉ EN CATALÀ

PERSÉPOLIS
Marjane Satrapi
(Nómadas nº 3)

OLIMPITA
H. Migoya y J. Marín
(Nómadas nº 12)

BURBUJAS
Daniel Torres
(Nómadas nº 15)

TAMBÉ EN CATALÀ

ALICIA EN UN MUNDO REAL
I. Franc y S. Martín
(Nómadas nº 22)

MARZI
S. Savoia y M. Sowa
1984-1987 (Nómadas nº 27)
1989 (Nómadas nº 58)

TRISTÍSIMA CENIZA
M. Begoña e Iñaket
(Nómadas nº 32)

ANDANDO
A. Torres y A. Carreres
(Nómadas nº 35)

UNA JUDÍA AMERICANA PERDIDA EN ISRAEL
Sarah Glidden
(Nómadas nº 39)

EL PARAÍSO DE ZAHRA
Amil y Khalil
(Nómadas nº 40)

EN ITALIA SON TODOS MACHOS
L. De Santis y S. Colaone
(Nómadas nº 41)

BIENVENIDA
M. Abouet y Singeon
(Nómadas nº 42)

OMNI-VISIBILIS
L. Trondheim y M. Bonhomme
(Nómadas nº 43)

GRANDES SOLDADOS
L. Rivelaygue y O. Tallec
(Nómadas nº 44)

PLAGIO
H. Migoya y J. Marín
(Nómadas nº 45)

LA GENTE HONRADA
Gibrat y Durieux
(Nómadas nº 46)

EL JUGADOR
Miquel y Godart
(Nómadas nº 47)

UNA COLMENA EN CONSTRUCCIÓN
Luis Durán
(Nómadas nº 48)

EL HIJO DE REMBRANDT
Robin
(Nómadas nº 49)

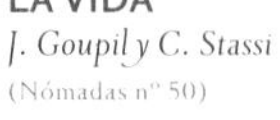

PARA TODA LA VIDA
J. Goupil y C. Stassi
(Nómadas nº 50)

VIENTOS DOMINANTES
Wauters y Chapron
(Nómadas nº 51)

TRES AMIGAS
Michel y Lepage
(Nómadas nº 52)

ADIÓS MUCHACHOS
Matz y Bacilieri
(Nómadas nº 53)

SANGRE DE BARRIO
Jaime Martín
(Nómadas nº 54)

SONRISAS DE BOMBAY
Sanllorente y Martín
(Nómadas nº 55)

DONDE LA TIERRA ARDE
Galeani y Cannatella
(Nómadas nº 56)

LA BANDA DE LOS POSTIZOS
David B y Tanquerelle
(Nómadas nº 57)

EL CUENTACUENTOS
Zidrou y Beuchot
(Nómadas nº 59)

PETROGRADO
P. Gelatt y T. Crook
(Nómadas nº 60)